D0525507

Masako Togawa

LADY KILLER

EDICIONES B · GRUPO ZETA

LIBRO AMIGO POLICIACA

Título original:
The lady killer

Traducción:
Cristina Macía

1.ª edición: noviembre 1987
La presente edición es propiedad de Ediciones B, S.A.
Calle Rocafort, 104 - 08015 Barcelona (España)

Printed in Spain

ISBN: 84-7735-616-5
Depósito legal: B.43235-1987

Impreso por Printer, industria gráfica, s.a.
c.n. II, 08620 Sant Vicenç del Horts. Barcelona

Diseño de colección y cubierta:
La MANUFACTURA / Arte + Diseño

Ilustración:
Sergio Camporeale. Acuarela, París 1987

PRESENTACIÓN

Cuando el japonés se pone en un escenario a hacer teatro surge el refinadísimo No, o el exuberante y sensual Kabuki. En el terreno del arreglo floral, en Japón se han llegado a crear hasta tres mil escuelas distintas de ikebana o esa delicia de la miniatura que son los bonsai. En la vida cotidiana, la ceremonia del té es una recreación que puede durar hasta cuatro horas. En el combate, el judo, el kárate, el kendo, el kyudo o el aikido se han llegado a convertir en auténticas filosofías, bien llamadas artes marciales.

En el campo de la novela negra, Masako Togawa escribe Lady Killer.

Esta novela es la historia de una venganza y, por tanto, es la historia de dos locuras. Poco a poco, minuciosamente, como sin querer, la autora nos irá perfilando dos personalidades igualmente complejas y fascinantes: la del perseguidor y la del perseguido, la del verdugo y la de la víctima.

La novela tiene una estructura clara, minuciosa, de sencilla filigrana japonesa. Nada en ella se mezcla. Como en un ideograma, cada elemento que la compone es válido por sí mismo y tiene su propio significado que, no obstante, es distinto del significado global. Tras una aparente sencillez expositiva, cambiando de punto de vista a cada recodo de la novela, se esconden una rica complejidad de conceptos, de descripciones, de intenciones.

Desde los sucesivos puntos de vista de una mujer aburrida que busca distracción para una noche, del donjuán que la cautivó y del abogado Shinji que tendrá que encargarse de un caso de apariencia irresoluble, nos veremos embarcados en una historia apasionada y apasionante, de sexo y muerte.

Adivinamos impasibilidad en el rostro y en el estado de ánimo de la autora mientras construye este delicado castillo de naipes cuya dificultad, humildemente, procura que quede oculta. Recreando un Tokyo de los años sesenta que, después de todo, no es tan distinto de cualquier ciudad occidental, la autora nos dará a conocer desde un principio el motivo de los asesinatos, el propio asesino y a la auténtica víctima de la trama que, curiosamente, no son las mujeres asesinadas. Y, a pesar de ello, con grácil pirueta, nos ofrecerá un ingenioso final sorpresivo donde todas las piezas del rompecabezas encajan perfectamente.

En toda la novela flota una moral peculiar, una filosofía que para el lector occidental resultará distante, curiosa, una nueva manera de ver las cosas. Y ello combina a la perfección con un tipo de sensualidad, de oscura voluptuosidad que, a pesar de lo escabroso del tema, jamás podría ofender la sensibilidad del lector.

ANDREU MARTÍN

La acción de esta novela se desarrolla en el Japón de 1963. El lector no necesita saber nada sobre Japón para poder leerla, a excepción del hecho de que la nuca de la mujer se considera tan erótica como lo es en occidente el escote.

PRÓLOGO

La mujer estaba sentada en un reservado del primer piso del bar, y mantenía la vista fija en el piso inferior. A través del humo del cigarrillo podía ver, borrosamente, al camarero de chaqueta blanca que había al lado de la puerta y a otro que agitaba una coctelera tras el mostrador situado debajo de ella. Los demás clientes estaban sentados a la barra o en reservados de la planta baja, casi invisibles por la escasa iluminación habitual en estos sitios. En el mismo piso donde estaba ella había otra barra, tras la cual un camarero mataba el tiempo limpiando vasos. En un extremo, había dos hombres sentados cara a cara, hablando en susurros.

Nadie le prestaba atención. Si alguien lo hubiera hecho, probablemente hubiese pensado que aquella chica que no llevaba maquillaje, ni parecía tener más de veinte años, no tenía aspecto de frecuentar ese tipo de bares.

Cuando entró, unos minutos antes, en su rostro se dibujaba una mirada de preocupación. No había sitio libre en la planta baja, así que subió. A medida que ascendía, los escalones que pisaba parecían subir y bajar como si fueran olas; flotaba en ellos, sintiéndose tan vacía como una barca. Todo el chismorreo y la música, el ruido propio de un bar atestado, parecían retroceder a su paso. Se sentía anormalmente sola en un mundo tan negro como la pez.

Alargó el brazo y cogió el vaso medio vacío, bebiéndose su contenido, del color del té frío, de un solo trago. Era el tercer whisky de la noche, y la tercera vez en su vida que se emborrachaba. El whisky le calentó la garganta y empezó a sentirse ligera. Se levantó y se acercó a la barra, pisando cada escalón con cuidado para no tambalearse o caerse.

El camarero la miró y, al verle el vaso vacío en la mano, sonrió.

—¿Bebiendo para ahogar las penas?

La mujer le devolvió la sonrisa. No le costaba nada ser amable con él; además, no tenía ni idea de adónde iría cuando dejara el bar.

—¿Lista para el cuarto? Ahora se lo llevo.

Simuló apuntar la bebida en la cuenta, pero no escribió nada. Por lo menos, tendría ésta gratis.

La mujer le obsequió con otra sonrisa, se dio la vuelta y volvió a su mesa. De repente se sentía mejor, gracias a ese gesto amable del cual se había dado cuenta. «Debería regalarle un paquete de cigarrillos antes de marcharme», pensó.

El barman se acercó, colocó la bebida y una nueva ración de cacahuetes y se marchó tan silenciosamente como había llegado. Estaba sola una vez más. Cerró los ojos y volvió a ver las ruidosas manchas de rojo y apacible verde; pero, afortunadamente, el agudo sonido metálico que le atravesaba la cabeza había disminuido. Al poco rato empezó a oír música, pero le resultó imposible saber si provenía del exterior o si estaba en su cabeza. No le preocupaba. El sonido se filtraba a través de su ensimismamiento y empezó a llevar el ritmo con la punta del pie. *Uno, dos, tres. Uno, dos, tres...* Se dio cuenta de que la música era una alegre polka. Los instrumentos, un violín y una guitarra. «Cómo me gustaba esta canción —pensó—, en los días en que no tenía preocupaciones. Cuando era feliz.»

Empezó a llorar en silencio, conmovida por el recuerdo. Mientras lloraba, la canción cambió, se convirtió en un vals y luego en una música de ritmo indeterminado.

Entonces, oyó la voz de bajo que no olvidaría hasta el día de su muerte. Era noble y hermosa como el órgano de una iglesia. Se deslizó hasta ella, le lamió los pies y trepó con seguridad hasta atrapar su corazón. Reconoció la canción: era *Zigeuner Leben*, de Schumann.

Im schatten des Waldes, im Buchengezweig,
Da regt's sich und raschelt und flüstert zugleich.
Es flackern die Flammen, es gaukelt der Schein
Un bunte Gestalten, um Laub und Gestein.

Al terminar la primera estrofa en alemán, la voz volvió a cantar, esta vez traduciendo la letra.

Bajo las hayas de oscuro verdor,
Festejamos y nos divertimos en el bosque.
Las antorchas arden con luz brillante
Y esta noche nos sentamos en la hojarasca.
Cantad, cantad, dice el verde bosque,
que la tribu de los gitanos se divierte.

La profunda y triste voz rebosaba bondad y simpatía, sobresaliendo por entre los bastos tonos de los borrachos y los desafinados sopranos de las camareras que intentaban acompañarla. ¿Quién podría ser? Abrió los ojos, antes cerrados por el éxtasis, y se asomó a la barandilla que bordeaba la planta donde estaba. Pero sólo alcanzaba a ver a los dos músicos callejeros, uno con guitarra y el otro con violín, que acompañaban a la voz. Tímidamente, empezó a cantar también ella el *Zigeuner Leben,* que había sido un tema obligatorio cuando estaba en el instituto. Su voz armonizaba a la perfección con la del bajo. Cantaron juntos y callaron juntos en una armonía perfecta que la mantuvo hechizada, hasta que la guitarra y el violín enmudecieron.

¿Quién podía ser aquel cantante, cuya voz conjuntaba tan perfectamente con la suya? Incapaz de contener la curiosidad, se levantó y bajó al piso inferior, atraída por la mágica voz, como si fuera una marioneta atrapada por los hilos. Mientras bajaba a la planta baja, el tumulto llegó a ella. Miró insegura hacia la oscuridad, pero lo único que pudo ver a través de las nubes de humo fueron las oscuras cabezas de los clientes, superponiéndose unas a otras. ¿Qué podía hacer?

Tuvo una inspiración. El violinista ambulante estaba a punto de dejar el bar; aceleró el paso y le bloqueó la salida.

—Perdone, señor, ¿podría tocarla otra vez?

El violinista, calvo hasta la coronilla, la miró a los ojos con curiosidad. La mirada captó también el billete de cien yens que mostraba la mujer. Aceptó el billete y llamó a su compañero. Empezaron a tocar, y de la oscuridad, por encima de la babel de voces, surgió una soberbia voz de bajo. Su dueño era un hombre oculto en las sombras, que se sentaba solo en un reser-

vado, justo detrás de ella. Miró a su alrededor intentando no parecer demasiado curiosa.

—¿Por qué no se sienta conmigo? —dijo la voz profunda, y ella obedeció como si fuera la cosa más natural del mundo. Incluso pareció que se hubieran citado
allí de antemano.

—Siga tocando —dijo el hombre, y volvió a cantar
con la mujer en total consonancia.

Cuando cantaban, se miraban el uno al otro. Era
como si se conocieran desde hacía años.

—¡Venga ya, cambia de tema! —gritó un cliente.

El violinista bajó el instrumento.

—¿Quiere que toque otra cosa? —preguntó.

La mujer miró a su compañero y se dirigió al
músico.

—No, ha sido bastante, gracias. Puede irse.

Y, poco después, ella se marchó también, en compañía del extraño, que pagó su cuenta como si fuera la
propia. Cuando salieron juntos del bar pudo verlo
con claridad a la luz de una farola. Calculó que tendría
unos treinta años; tenía un bronceado aceptable y el
rostro bien afeitado. Su traje era de buena hechura y
mejor gusto. Parecía, en todo, el sueño de una doncella, y lamentó que no formaran una pareja perfecta.

Unas cuantas horas después, se hundieron en el
asiento trasero de un taxi. El hombre atenazaba su delgado cuerpo con sus largos brazos y le acariciaba el
pelo con la barbilla.

—Llévenos a algún sitio donde podamos pasar la
noche —le dijo al conductor. Su voz sonaba exhausta,
casi monótona.

—Sí, señor. ¿Estilo occidental o japonés?

El taxista se internó peligrosamente en el tráfico. La

mujer quizás oyó la conversación entre su compañero y el conductor, o quizá no. Permaneció inmóvil en sus brazos, con los ojos fuertemente cerrados.

Seis meses después

La mujer pendía del alféizar de la ventana, sujetándose con las manos, pero tenía la mente en otra parte, recordando aquel encuentro en un bar hacía ya seis meses. Una gélida brisa le congelaba los pies desnudos.

«No siento haberme acostado con él», pensó. Su vida habitual le parecía un infierno, y tan sólo aquel breve encuentro se mantenía como algo perfecto.

Abrazaba la áspera pared de cemento. Ésta le presionaba la nariz, las mejillas, los breves pechos y el hinchado vientre. Cada momento que pasaba, el cuerpo parecía tirarle más pesadamente de los delgados brazos. Cuando éstos, doloridos, no pudieran soportar más tiempo su peso, cuando los entumecidos dedos no aguantaran la tensión, se soltaría y caería desde aquella ventana situada en un séptimo piso. Sólo necesitaba un poco más de paciencia, dos minutos, quizá tres...

Se preguntaba por qué el hombre de la voz profunda no la había admitido en su vida tras aquel primer encuentro. Y, pese a ello, seguía sin guardarle rencor; es más, le estaba agradecida por haberle proporcionado la única luz brillante de su breve y gris existencia.

«No tiene la culpa de los calambres en los dedos tras un día de trabajo —pensó—, ni de cómo me duele el cuerpo cuando llega la noche. No es culpa suya. La culpa es de esas clavijas y botones que tengo que pulsar miles de veces cada día. No de ese hombre. A él le debo haber sido capaz de vivir seis meses más. El recuerdo de su voz me daba fuerzas para seguir adelante. He sobrevivido a ese continuo timbrazo en la cabeza, que parece el ruido amplificado de una moto, porque su voz parecía ponerme algodón en los oídos, para bloquear el sonido. Su voz profunda me conmovía en cuerpo y alma, pero, ¿por qué plantó su semilla y se fue?»

No tenía respuesta. Sintió que el niño se agitaba en su vientre. ¿Era aquella vida que crecía en su interior lo que la oprimía, se preguntaba, o era la presión de la pared?

Ahora tenía los brazos completamente congelados. Si sólo pudiera recordarle con claridad, oír su voz, quizás entonces podría soportar un poco más la tortura. Pero lo había intentado y no podía, no había podido recordar su imagen. En vez de eso, le volvió a la mente el tormento que significaban los demás sonidos, y su visión se redujo a la de la tosca pared de cemento.

De pronto, por primera vez, sintió terror. Una oleada de miedo provocada por la inminente extinción. Intentó sujetarse frenéticamente, con más fuerza, al alféizar de la ventana, pero no lo consiguió. Sus dedos habían perdido ya toda sensibilidad. También tenía los brazos entumecidos, y los hombros no le respondían. El viento gélido se le filtraba por el vestido, congelándole las piernas hasta dejarlas insensibles. Uno a uno, sus dedos se soltaron del antepecho.

Olvidó el romántico encuentro en el bar con un hombre de voz grave. También olvidó la pujante presencia en su vientre. En esos últimos momentos, flotaba en recuerdos de infancia, cuando ya no estaba en el equipo del gimnasio, intentaba recuperar la forma perdida y le dolía cada músculo del cuerpo. Qué largos parecían entonces los segundos, qué largos parecían ahora... Finalmente, el encallecido dedo que un día hubiera llevado un anillo de boda resbaló y soltó su único asidero. Perdido ya su último contacto con la realidad, se precipitó hacia el suelo.

El destrozado cuerpo de Keiko Obana, de diecinueve años, telefonista de la compañía de seguros K-Life, fue hallado en un lateral del edificio por el guardia de seguridad de la compañía a la una del mediodía del Día del Adulto, el 15 de enero, día festivo.

¿Un suicidio? ¿O quizás asesinato? Se discutió mucho el asunto antes de archivarlo. La autopsia diagnosticó suicidio provocado por neurosis. Encontraron evidencias de un caso medio de tendovaginitis en el dedo corazón de la fallecida, la enfermedad laboral de las operadoras telefónicas.

El guardia de seguridad declaró que, pese a ser día festivo, dejó entrar a Keiko Obana en el edificio porque le dijo que quería fotocopiar unas partituras musicales para su sociedad coral. La versión oficial de la compañía, naturalmente, negaba toda posibilidad de suicidio por no haberse encontrado ninguna nota de despedida.

La habitación había sido fumigada con un fuerte insecticida unas horas antes y, razonaron, Keiko debió de intentar abrir una ventana, cayendo accidentalmente.

La policía tenía dos motivos para calificar el suceso de suicidio. Primero, las marcas del repecho de la ventana que mostraban claramente que se había sujetado a ella antes de caer.

Y, segundo, la evidencia que no se hizo pública: cuando murió, estaba embarazada de seis meses.

Pese a que esto último habría convencido a todo el mundo de que la razón estaba de parte de la policía, no se filtró ningún dato a la prensa. La decisión la tomó el jefe de policía de la comisaría encargada del caso. Lo hizo por delicadeza, y sólo le reveló el embarazo al único familiar vivo de Keiko Obana, su hermana mayor, cuando apareció a reclamar el cadáver.

—¿Estaba prometida o algo semejante? —le preguntó sin darle importancia.

La hermana se sentó ante él, estrujando un pañuelo entre las manos.

—No. No, que yo sepa. Nunca dijo nada de casarse. Ni siquiera que tuviera novio. Podía habérselo callado por deferencia a mi persona, soy soltera, pero... Sabe, era como una niña.

La hermana miró implorante al oficial de policía.

—Usted era como una madre para ella, ¿verdad?

—Sí. Mataron a nuestros padres durante el bombardeo de Hiroshima. Yo le ayudé a salir adelante y la mantenía con mi sueldo de costurera. Sabía lo duro que era para mí y siempre hizo todo lo posible para no causarme preocupaciones. Creo que siempre me lo contaba todo.

La hermana mayor, Tsuneko Obana, tenía aspecto de solterona, vestía de manera sencilla, no llevaba maquillaje y se recogía el pelo en un moño. Sus ojeras tenían una languidez erótica, pero su aspecto era el de una persona tranquila y sencilla. Se sentaba con la cabeza baja, y parecía agobiada por la pena de su repentina pérdida.

«Perder a tu única hermana de esta manera debe ser trágico», pensó el inspector, e intentó suavizar sus preguntas todo lo posible.

—¿No notó nada anormal en su comportamiento?

—¿Qué quiere decir? ¿Hay algo que deba saber? —le miró insegura.

—Bueno... ¿Salía a menudo de noche?

—Oh, no, nunca... pero, sí, sólo una vez. Llegó a casa por la mañana. Dijo que había perdido el último tren y que había pasado la noche en un café de esos que siempre están abiertos, con un amigo.

—¿Como cuánto hace de eso?

—No sé, déjeme recordar... creo que fue hace unos seis meses. Pero, ¿tiene alguna importancia?

—Sí, me temo que sí. Siento mucho tener que informarle de que su hermana estaba embarazada.

La sorpresa le desorbitó los ojos.

—No puedo creerlo —fue todo lo que acertó a responder.

—Sí, de hecho estaba embarazada de seis meses. Me temo que fue la preocupación lo que la indujo a suicidarse.

Tsuneko Obana rompió a llorar. El inspector apartó la mirada; había sido duro, pero era su deber decírselo. Se puso a mirar por la ventana. Keiko había sido una chica respetable, sin amigos conocidos, que iba a casa todas las tardes después del trabajo, excepto aquella única noche en que fue a un café y la sedujo un bandido o algo parecido. Conocía demasiados casos como ése. Habitualmente, le conmovían tanto como un accidente de tráfico, pero, esta vez, la chica se había suicidado. ¿Qué podía decir para consolar a su hermana, ahora que la verdad había salido a la luz? Nada.

—Naturalmente, esta información sólo se la he facilitado a usted. Puedo asegurarle que nunca se hará pública.

Después de todo, razonaba, si el suicidio podía atribuirse a una enfermedad laboral, los parientes siempre podrían exigir alguna compensación económica.

Tsuneko Obana se secó la cara con el pañuelo, intentando reprimir las lágrimas. De pronto, levantó la mirada y empezó a hablar atropelladamente, como si una presa se hubiera desbordado en su interior.

—Tuvo un amante... lo leí en su diario... le conoció en un bar... cantaron juntos *Zigeuner Leben*... ¿Cómo pudo ser tan tonta...? Pobre niñita alocada...

No había nada que el inspector pudiera decirle mientras escuchaba aquellas frases entrecortadas. Esperaba que la entrevista terminara pronto. La pena de los parientes no entra dentro de la jurisdicción de la policía.

—Eso es todo, señorita Obana. No tengo más preguntas que hacerle.

Mientras recogía las pertenencias de su hermana y se preparaba para irse, el inspector se dio cuenta, por primera vez, de que tenía un lunar en la base de la nariz. El pañuelo lo había ocultado todo el tiempo, pero ahora lo veía claramente. La hermana se dio cuenta de su mirada y él la tuvo que apartar, avergonzado por su propia indelicadeza.

—Siento haberle causado molestias.

La hermana se despidió correctamente, y dejó la comisaría con una mirada de pena devastadora.

Mientras la veía alejarse, el inspector palideció de rabia. Sentía cómo se le llenaba el pecho de ira contra aquel desconocido que había dejado embarazada a una chica de diecinueve años. El hecho de que fuera un desconocido era lo que aumentaba su furor. «Si hubiese sido mi hija —pensó—, cazaría a ese hombre y le daría su merecido.»

Claro que, en ese caso, sería tan difícil encontrar al hombre como lo es el identificar a un criminal. Esa idea le deprimió. No podía hacer nada. Empezó a lamentar haberle contado a la hermana, tan a la ligera, lo del embarazo.

Primera parte

LA CAZA

1

En verano, los bares y restaurantes del Kabuki-Cho, en Shinjuku, suelen recibir a los primeros clientes del día a las 4 de la tarde. Sin embargo, a esa hora el ajetreo es ya constante. El sitio acaba de abrir, el aire acondicionado aún no se nota y los suelos aún tienen el brillo del agua con que los han fregado. Los escasos clientes se amontonan en un extremo de la barra y se dedican a beber. No son horas de montar juergas o gastarse el dinero en músicos callejeros.

Estos trovadores errantes aparecen por las zonas de esparcimiento alrededor de las ocho. Pero, un día, un violinista conocido desde su juventud como «Ossan» (el viejo amigo), empezó a recorrer las calles cuando el sol aún estaba alto, a las seis de la tarde. El día anterior no había trabajado y necesitaba dinero. Tanto los gastados zapatos del viejo amigo, con las suelas delgadas como el papel, como las sandalias de su compañero, estaban manchadas con polvo blanco del camino.

Pasaban al lado del Bar Boi, el que está detrás del teatro Koma, cuando les llamó un camarero.

—¡Ey! ¡Viejo amigo! Uno de nuestros clientes quiere música, y dice que sólo le sirve la de un violín.

—¿Sólo la de un violín? ¡Mira que es raro!

En esos días, a nadie parecía gustarle la música de violín, la guitarra era lo que estaba de moda. Siguieron al camarero al interior del frío y desértico bar.

Les condujo a una mesa en la que había una mujer sentada, con gafas oscuras y sombrero de ala ancha. El viejo amigo hizo una reverencia.

—¿Qué quiere que toque, señora?

Estudió cuidadosamente el rostro de su cliente, advirtiendo el lunar que tenía a un lado de la nariz.

—¿Puede tocar *Zigeuner Leben*?

—Claro que sí. Puedo tocar cualquier pieza clásica.

—Adelante entonces. Oigámosla. —La voz resultaba extrañamente átona.

Sacando el instrumento del estuche, el músico recordó haber oído comentar que una mujer había pedido a varios de sus amigos que tocaran ese tema. Ninguno lo conocía, desgraciadamente para ellos, porque la mujer ofrecía mil yens por oírlo. Debía de ser ésta, pensó. El viejo amigo tocaba mejor la música clásica que la moderna y, cuando el guitarrista empezó a rasguear, se embarcó en la cautivadora melodía.

La mujer permaneció sentada y escuchó, sin molestarse en cantar la letra. No parecía bebida, sólo rara. Cuando terminaron el tema, se limitó a decir:

—Una vez más.

El viejo amigo condescendió; al terminar, preguntó:

—¿Toco alguna otra cosa?

Pero la mujer continuó silenciosa. Sí que tenía algo raro, quizás estuviera loca. Sentarse allí, en un bar de Shinjuku, llevando un sombrero enorme y gafas oscuras, como si estuviera en la playa... Resultaba imposible leer la expresión de su rostro, tal y como estaba tapado.

Por fin rompió el silencio y, cuando habló, su voz parecía artificial.

—¿La toca muy a menudo?

—Bueno, no es una petición muy corriente.

—Pero seguro que la toca de vez en cuando.

La mujer hablaba de manera agresiva, como exigiendo una respuesta. «Conozco el tipo —pensó el músico—. Maestras, son todas así.»

—Solía tocarlo en los viejos tiempos —respondió en voz alta.

—¿Y recientemente? ¿Hará cosa de un año?

La pregunta era tan absurda que el viejo no pudo evitar reírse.

—Bueno, si usted lo dice... Quiero decir, toco todos los días. No puedo recordar todo lo que toco y cuándo lo toco.

—Seguramente podrá recordarlo. Fue aquí, en este bar.

—¿Aquí?

—Sí, en el Bar Boi, en la planta baja. Un hombre y una mujer cantaron a dúo la canción, y sólo ésta. Varias veces.

—¿Te acuerdas tú? —preguntó a su compañero, un hombre mucho más joven con el pelo grasiento.

—¡A mí que me registren!

El guitarrista daba muestras de no recibir con agrado el interrogatorio.

La mujer se levantó de repente y señaló un rincón de la sala. Tenía los gestos y el tono de voz de un fiscal en la sala del juicio.

—Allí. Allí había un hombre sentado, solo, y pidió esta canción. Intente recordar. Parecía extranjero, tenía los rasgos muy afilados. Debe recordarle. Era muy guapo.

Los dos músicos callejeros no salían de su sorpresa. La miraban incrédulos, pero ella siguió hablando, ignorándoles.

—Estaba cantando allí, y en el piso de arriba había una chica delgada. Se unió a él en la canción; después del primer dueto, la chica bajó, se acercó a él, y cantaron otra vez. Seguro que puede recordarlo. Piense .

El viejo amigo hizo todo lo posible por recordar, mientras su compañero se aburría.

—Una voz inolvidable —continuó la mujer—. Muy profunda, poco japonesa. Vuelva a intentarlo. Le hablo de un hombre con una profunda voz de bajo.

—¡Ah! —dijo el viejo amigo con tono de alivio—. Usted habla del señor Honda. Sí, debe ser de él. Hace mucho que no le vemos por aquí.

—¿A qué se dedica ese señor Honda?

—¡Oh! No podría decirlo. Quiero decir que me dirijo a mis clientes llamándoles «profesor» o «presidente», y no pienso en nada más. Le gusta cantar, y además tiene buena voz. Creo que una vez me dijo que fue solista de coro cuando estudiaba.

—¿En qué universidad?

—Déjeme ver. ¿Era la A.B.C.? No, no era ésa, pero era algo parecido. Algo con tres letras del alfabeto. Tal vez no fuera en Japón, sino en el extranjero. Con un nombre como ése...

—¿Cuándo le vio por última vez?

—Ahora que lo pienso, hace tiempo. Solía frecuentar los bares de esta zona, pero ya no aparece. Irá a otros sitios, digo yo.

Al oír esto, la mujer pareció desilusionada, pero abrió el monedero y sacó un billete de mil yens.

—Dígame qué otros bares de por aquí frecuentaba —añadió al entregarle el billete.

—¿Otros bares? Un par de ellos. Déjeme ver...

Tras pensar un poco, soltó una retahíla de nombres. La mujer los anotó cuidadosamente en una libreta y se marchó.

—Espero haber hecho bien al contarle todo eso —le dijo a su compañero.

—¿Lo dices por si encuentra al profesor y le causa problemas?

—Sí, pero creo que no hay de qué preocuparse. Quiero decir, que todo era verdad, y no dije nada malo de él. No parecía una policía. —Se embolsó el billete de mil yens—. Lo que importa es que ha pagado bien.

A partir de ese día, cada vez que el viejo amigo tocaba en uno de los bares que había mencionado, preguntaba siempre por ella, pero nunca obtenía resultados.

—¿No saben nada de esa mujer? ¿La que preguntaba por el profesor, el hombre con voz de bajo profundo?

Y la respuesta era siempre no.

—Una mujer rara. De todos modos, hicimos lo posible por ayudarle, pero me gustaría saber qué se traía entre manos. —Se estrujaba el cerebro sin resultado—. Bueno, es la vida. Los clientes que se ven hoy, desaparecen mañana. Son como el viento. Se hacen habituales de un bar y luego, de repente, desaparecen. Si te paras a pensarlo, pasa muchas veces.

—Bueno —dijo filosóficamente su compañero—, así es el negocio del espectáculo, un negocio de casualidades con clientes que van y vienen.

Y dejaron de preguntar. Con el tiempo, olvidaron todo lo relacionado con la inquisitiva mujer que tenía un lunar en la nariz.

2

La Asia Moral University estaba situada en una colina de las afueras de Tokyo, a unos quince minutos de autobús desde la estación K, en la línea Chuo. Solían llamarla A.M.U.

Descansaba en terreno desbrozado de los bosques de la llanura de Mushashi. En el corazón del campus se erguía un espléndido edificio de tres pisos, el centro de estudios, alrededor del cual estaban las residencias de los estudiantes y facultativos que allí vivían. El inglés era el idioma más utilizado en la A.M.U.

A los estudiantes se les permitía salir del recinto los domingos y festivos. El resto de los días lo pasaban inmersos en una atmósfera monástica y concentrados en sus estudios.

Era la una del mediodía del 10 de octubre, cuando el autobús paró frente a la Universidad y se apeó su única pasajera. La Universidad funcionaba según el sistema habitual de temporadas, y aún era época de vacaciones. Cuando se disipó la nube de polvo causada por el autobús, la mujer se retiró el pañuelo del rostro y lo sustituyó por otro que llevaba en el bolso. A continuación, se arregló el cuello del kimono antes de moverse.

Caminó por la angosta carretera estatal durante cinco minutos hasta llegar a la puerta y a la amplia calzada que llevaba al edificio de la Universidad. Se detuvo mirando al interior y, como cambiando de opinión, dio media vuelta y rehízo el camino. Un poco más allá de la parada de autobús había una vieja y cochambrosa tienda que vendía bollos, caramelos, cigarrillos y otras necesidades de la vida cotidiana. También tenía un teléfono público. Una fina película de polvo cubría todos los productos de la tienda. No parecía que el sitio atrajera a los clientes.

La mujer se dirigió al teléfono y descolgó el auricular. Automáticamente, una vieja con las gafas cayéndosele de la nariz surgió de la oscura parte trasera de la tienda.

—¿Llama a Tokyo? —preguntó ásperamente—. Si quiere larga distancia, tendré que marcar yo.

La mujer negó con la cabeza y volvió a ponerse el pañuelo en el rostro. La vieja se retiró a su rincón y siguió vigilándola. Parecía que llamaba a la Universidad.

La mujer examinó el directorio que tenía ante ella y encontró una lista de los facultativos.

—Profesor Matsuyama, por favor. Es el encargado del coro, ¿verdad?

—Sí, señora. Ahora mismo la pongo.

Saburo Matsuyama, profesor de Historia de la Música Religiosa, estaba estudiando unas partituras antiguas cuando recibió la llamada. Pese a ser una autoridad reconocida en ese campo, tenía ya cerca de setenta años y no le resultaba fácil leer. Era casi sordo y, en la actualidad, sus mayores placeres eran tocar el órgano y dirigir la sociedad coral.

—¡Hola! —dijo al teléfono—. Aquí Matsuyama. ¿Quién llama?

—¿Profesor Saburo Matsuyama?

—Sí, sí, ¿quién es?

—Llamo de una agencia matrimonial, profesor, estoy realizando una investigación sobre uno de sus alumnos, un tal Ichiro Honda. Creo que llegó a dirigir el coro.

—Hable más alto. No le oigo bien.

Pese a que la voz sonaba educada, la mujer parecía

hablar por la nariz. Repitió lo que decía dos veces más hasta que pudo oírla.

—¡Ah, sí! Pregunte lo que necesite saber.

Guiado por las preguntas de la mujer, empezó a extenderse sobre la carrera universitaria de Ichiro Honda. Afortunadamente, Honda había sido un alumno excelente y el profesor le recordaba bastante bien. Las palabras de elogio, tan importantes en estas ocasiones, fluían con facilidad. Habló con entusiasmo de la diligencia, la aptitud musical, e incluso del buen aspecto de su antiguo pupilo. ¿Qué otra cosa podía añadir?

—¡Ah, sí! Acabo de recordar otra cosa que muestra lo buena persona que es. Honda tiene un grupo sanguíneo muy raro. Creo que sólo lo tiene una persona de cada varios miles. Sí, donó sangre cuando era estudiante aquí y salvó la vida de un niño. Sí, creo recordar que, en su momento, salió en los periódicos. ¿Que cómo supimos que tenía ese tipo de sangre? Bueno, señora, tenemos un Instituto Americano de Biología del que estamos muy orgullosos, y registramos el grupo de cada estudiante.

—¿De qué tipo era? ¿Puede decírmelo?

El profesor se dio cuenta de que tener un grupo sanguíneo raro no es un dato muy necesario en unas negociaciones maritales, e intentó rectificar.

—Un grupo sanguíneo inusual no afectaría su vida de casado, ¿sabe? Llame al Instituto y se lo dirán. Si quiere, puede utilizar mi nombre. La centralita puede pasarle la llamada. Ah, y de paso, ¿cómo está Honda? Tengo entendido que se fue a Estados Unidos a estudiar ingeniería informática. Creo que se dedica ahora a ese campo y que tiene mucho trabajo. No le hemos visto desde hace años.

—Sí, vale, gracias... Le diré que le haga una visita lo antes posible —respondió apresuradamente la voz nasal. Pidió disculpas y colgó el auricular, cortando la comunicación.

Volvió a marcar, pero esta vez la vieja no se enteró de lo que decía. Algo relacionado con la sangre, pero resultaba muy complicado. No fue la complejidad de la conversación lo que hizo que ésta se grabara en la mente de la vieja y recordara el incidente. Más bien fue la desagradable impresión que le dejó que un cliente monopolizara el teléfono tanto tiempo y se marchase sin comprar nada. Miró cómo se iba la mujer, subiéndose las gafas que le resbalaban por la nariz, y entonces fue cuando se fijó en el lunar.

La vieja era supersticiosa. Sólo una gran maldad dejaría un lunar semejante en la cara de una mujer, pensó.

Hasta que pasaron unas horas, el profesor Matsuyama no empezó a tener dudas sobre la llamada telefónica.

—Acabo de responder una encuesta sobre uno de mis graduados —le dijo a su secretaria—. Era para una agencia matrimonial.

—¿Sobre quién era?

—Ichiro Honda.

—Eso sí que es raro —dijo la secretaria, sorprendida.

—¿Por qué?

—Si mal no recuerdo, se casó hace unos años. Déjeme pensar... Creo que fue cuando estaba en América. Con una chica japonesa de familia rica que iba a la misma Universidad. Una belleza, creo. Está usted demasiado ensimismado en su trabajo, profesor. ¡Mira que olvidar una cosa así!

El profesor murmuró algo y cambió de tema. Pensando en ello, recordaba haber recibido una bonita invitación de boda redactada en japonés e inglés, haría cosa de cinco o seis años.

Salió al pasillo exterior y contempló el paisaje. Los elegantes edificios se erguían serenos, proyectando sombras provocadas por el sol del atardecer. Le parecía que una siniestra sombra se cernía sobre su antiguo estudiante, al que recordaba claramente cantando con fuerza en la última fila del coro.

Se sintió extrañamente inquieto. Apoyó la cabeza contra un pilar de mármol y empezó a rezar, como buen cristiano, por la salvación de su pupilo.

3

—Aquí la oficina principal. Dígame.

Junji Oba, recepcionista del hotel Toyo, respondió al teléfono con el tono suave que utilizaba en los negocios. Se humedeció el labio inferior con la lengua, por si acaso era un extranjero y tenía que responder en inglés.

—Llamo de J. C. Airlines —dijo una voz de mujer—. Por favor, ¿podría decirme en qué habitación está un tal señor Honda que creo se hospeda en ese hotel?

—¿Honda? Por supuesto. ¿Podría decirme el nombre, por favor?

—Ichiro. I-chi-ro. —Deletreó las tres sílabas haciendo una pausa después de cada una.

Junji Oba era nuevo en el Toyo. Había pasado varios años como recepcionista en otro hotel, pero un desgraciado error en su último trabajo le había llevado al Toyo. Pese a su experiencia, se veía obligado a concentrarse como un novato para evitar errores.

Repasó diligentemente el registro, pasando los dedos por los quinientos nombres anotados piso a piso. Encontró rápidamente el apellido Honda. Una habitación en la esquina del tercer piso, 29 años, nacionalidad japonesa, ingeniero de profesión.

—El señor Honda está en la habitación 305 —le dijo a la mujer.

Iba a colgar cuando volvió a oír la voz con una pregunta tan peculiar que tuvo que pedir que la repitiese.

—¿Tiene voz de bajo?

—¿Se refiere a una voz profunda? ¿O a si es bajo?

—A una voz de bajo... una voz profunda... una voz inolvidable.

El recepcionista pensó con rapidez. Qué pregunta más rara. Si alguien quiere confirmar que habla de la persona correcta no pregunta por la voz... pregunta por la profesión... El señor tal y tal de la compañía cual y cual, por ejemplo. O el señor Honda de América, o el señor Honda de Inglaterra. Y esta mujer decía ser de una compañía aérea. Esto no era una confirmación de rutina. Parecía, más bien, algo de investigación, algo relacionado con el trabajo de detective. Pensó un momento y recordó un oriental de voz profunda entre los huéspedes, un hombre que hablaba en inglés.

—Sí, creo que sí tiene una voz profunda. Tenemos tantos clientes, no sé... Es difícil recordarlos a todos.

—Pero se aloja ahí ¿verdad?

El recepcionista habría jurado que había una nota de alivio en la voz, como si hubiera seguido su pista tras muchas dificultades.

—¿Sabe hasta cuándo se quedará? —Volvió a preguntar.

—Espere un momento a que lo mire.

Dejó el auricular y miró la reserva de la habitación

305. Ichiro Honda vivía allí desde hacía tres meses y era un huésped de los de duración indefinida. «Quizá pueda sacarle provecho a la situación», pensó Oba y miró a su alrededor, por si podía oírle alguien, antes de coger otra vez el teléfono.

—¿Oiga? El señor Honda es un huésped que no tiene limitado el hospedaje y se me ha ocurrido que tal vez podría proporcionarle personalmente la información que necesita. No resulta muy adecuado hacerlo por teléfono. Podría verla fuera y pasarle la información.

—¿Qué quiere decir con eso? —El tono de la mujer se endureció como si se pusiera en guardia.

—Bueno, yo creía... pensé que lo que buscaba... que yo podría... quiero decir que... —tartamudeó, secándose el sudor frío de la frente.

—Lo único que he preguntado ha sido cuánto tiempo iba a permanecer Honda en el hotel.

La voz era implacable. Intentó disculparse por su error, pero no tuvo ocasión. La mujer se volvía más y más arisca. Ahora incluso prescindía del educado «señor» al mencionar el nombre de Honda, refiriéndose a él como si fuera un criminal.

—Bueno. En realidad no sabemos cuáles son sus planes. Todo lo que sé es que lleva aquí tres meses. Si llama mañana, puedo preguntarle cuáles son sus planes.

—No será necesario —interrumpió, pero tras el arrogante tono creyó distinguir algo de incertidumbre.

Resultaba evidente. Era de una agencia de detectives o algo así. La habría contratado alguna compañía rival o algún futuro cliente.

—Si lo desea puedo averiguarlo sin que se entere el cliente. ¿Qué le parecería?

No replicó, así que continuó hablando.

—Me llamo Oba y soy recepcionista. Durante muchos años he colaborado con multitud de detectives privados, ¿sabe? Naturalmente, suelo cobrar una pequeña cantidad por mis servicios. Si le interesa mi oferta, la esperaré a la salida del trabajo, a las ocho, en la cafetería que hay frente al hotel. Se llama Konto y me conocen. Pregunte por mí en la barra. Si le interesa, esté allí.

Colgó el teléfono rápidamente antes de que la mujer pudiera decir algo, pero ella fue más rápida y colgó antes. La negociación estaba abierta. ¿Acudiría?

—¡Zorra mentirosa! —murmuró.

Levantó la cabeza y vio que se acercaba un huésped extranjero al mostrador. Adoptó su ensayada sonrisa y saludó al cliente en inglés.

Antes de salir del trabajo, preguntó a sus compañeros y a los botones de la planta tercera, consiguiendo informaciones bastante interesantes sobre Ichiro Honda.

El huésped sí tenía voz profunda, y, pese a ser un cliente que vivía allí, pagaba las cuentas en metálico. Sólo utilizaba la habitación del hotel para dormir, y solía llegar tarde por la noche. Hablaba inglés con fluidez, pese a que su nombre y aspecto eran japoneses, y no solía utilizar este idioma, aunque se le viera conversar con extranjeros en la cafetería.

Pensó que todo esto bastaría para proporcionarle algún dinero. Y había algo que resultaba más sospechoso: el señor Honda solía pasar fuera los fines de semana. Fue a la cafetería de enfrente y esperó.

A las 8,45 recibió una llamada. Cogió el auricular y escuchó la misma voz gélida que le había llamado esa mañana.

—Hice comprobaciones por mi cuenta, y su señor Honda no es la persona que estoy buscando, así que no voy a reunirme con usted.

—¡Pero, señora! —balbuceó—. ¡Tiene que haber algún error! ¡Mi señor Honda tiene la voz profunda!

La mujer se limitó a colgar. El recepcionista pagó la cuenta maldiciendo el dinero que había gastado inútilmente en el café.

LA PRIMERA VÍCTIMA

5 de noviembre: Kimiko Tsuda muere estrangulada en los apartamentos Minami del distrito XX, Kinshi-Cho, Koto-Ku.

1

Se despertó antes de la siete. Alguien caminaba en zapatillas por el pasillo, algún viajante que salía temprano. Hacía ya tres meses que Ichiro Honda vivía en el hotel Toyo.

Alcanzó el despertador que tenía en la mesilla de noche y desconectó la alarma. Últimamente, pensó, tenía el sueño ligero como el de un viejo. ¿Por qué le pasaba? Lo achacaba a su vida nocturna, especialmente a sus experiencias con las mujeres.

Saltó de la cama y se metió en el cuarto de baño con el pijama puesto. Siguió la misma rutina de todas las mañanas. Después de lavarse, cogía una toalla húmeda de la percha, se refrescaba la cara con ella y la arrugaba como si fuera una pelota de papel antes de tirarla descuidadamente en un rincón. Luego, premeditadamente, como un actor en una película americana, sacó un traje del armario y lo tiró encima de la cama. Se vestía siempre poco a poco: una camisa bien almidonada, una corbata de color oscuro, gemelos de perlas... Con sumo cuidado. Hoy, tras examinarse detenidamente ante el espejo, deshizo el nudo de la corbata y lo repitió, pero, aparte de eso, siguió su rutina habitual.

Observándole, uno se daba cuenta de que era una persona habituada a vivir en hoteles.

En el armario tenía una maleta azul, forrada de adhesivos de las mejores compañías aéreas del mundo y de los hoteles más famosos de Estados Unidos. Era una maleta muy cara y la única que tenía, además de la que guardaba en el maletero.

En aquel hotel creían que era un viajante de los que se hospedan por un tiempo indefinido. Hasta él mismo se consideraba viajante. Una vez por semana se desplazaba a Osaka para pasar allí el fin de semana, y eso era viajar. En Osaka tenía una mujer, Taneko, con la que se había casado en Estados Unidos cuando hacía el doctorado. Cuando volvieron a Japón, su mujer no quiso vivir en Tokyo, pese a haber estudiado y trabajado en una compañía teatral, en esa ciudad. Dijo que sería más feliz viviendo en la casa paterna de Osaka, así que Ichiro Honda pasaba los días laborales en un hotel de Tokyo.

El padre de Taneko seguía teniendo buena salud pese a sus años, y continuaba presidiendo la D-Corporation, una compañía pública de gran prestigio. Su riqueza había acostumbrado a Taneko a hacer su voluntad desde niña, y ahora vivía con su padre y un ama de llaves en una gran mansión situada en Ashiya, lo que obligaba a Ichiro a desplazarse hasta Osaka todos los fines de semana. Su mujer se había acostumbrado a este tipo de vida y le parecía lo más natural del mundo. Ichiro, por su parte, también se había acostumbrado a una doble vida que, la mayor parte del tiempo, le proporcionaba las ventajas que tiene un soltero. No le preocupaba lo que hiciera su mujer en su ausencia, ni se preguntaba cómo podía soportar tan solitaria existencia. Hacía un mes justo que ella se había hecho construir un pequeño estudio en un rincón del jardín, en el que, según le dijo el ama de llaves, solía aislarse durante dos o tres días. Si esto la hacía feliz, mucho mejor.

De la misma manera en que no estaba celoso de su mujer, Taneko no mostraba interés alguno en saber cómo pasaba él su tiempo en Tokyo. Viajaba continuamente entre las dos ciudades, pero acusaba mayor tensión emocional cuando estaba en Osaka. En el vuelo hacia Tokyo siempre mostraba un aire sombrío, lo que, de alguna manera, era achacable a su mujer. Su avión llegaba a Haneda la tarde del domingo y los pasajeros bajaban con el paso ligero propio de los que vuelven a casa. Excepto él, que caminaba como alguien que acompañara un cortejo fúnebre. Su rostro reflejaba resignación en vez de placer. Tomaba un taxi hasta el hotel y se hundía en el asiento trasero sin decir palabra. Los sábados por la noche debían de ser para él auténticos suplicios. En cuanto llegaba al Toyo, se metía directamente en la cama. Era la única noche de la semana que hacía eso.

A las nueve en punto de la mañana del lunes estaba en su oficina, un despacho privado en la sexta planta de la K-Precision Machinery Company, en pleno centro del distrito financiero. Ocupaba un cómodo puesto como especialista en computadoras. Si las compañías del gas desplazaban personal a comprobar el estado de las calderas y demás accesorios, Ichiro Honda visitaba grandes compañías, financieras, fábricas y demás, en calidad de consejero para asesorarlas sobre la mejor manera de resolver sus problemas.

Durante cinco días a la semana, a lo largo de ocho horas, y el tiempo que pasaba en Osaka, Ichiro Honda llevaba una vida intachable. A los ojos de todo el mundo era un marido fiel y un trabajador infatigable. Pero, para él, la auténtica vida empezaba por la noche, cuando salía del trabajo. Ichiro Honda, el especialista en computadoras casado con una mujer rica, desaparecía todas las noches de la faz de la Tierra.

Todos los días volvía al hotel para asearse después del trabajo y, tal vez, cambiarse de ropa y cenar. Un día comía carne, otro pescado, pero siempre regado con una botella de burdeos. Luego dejaba el comedor y haraganeaba por el vestíbulo del hotel leyendo los periódicos del día, tanto ingleses como japoneses. A veces entablaba conversación con los británicos que se hospedaban en el hotel, enorgulleciéndose de su dominio del inglés. Casi siempre hablaba de literatura y de teatro.

Apenas sonaban las ocho, cuando ya había oscurecido, tomaba un taxi en la puerta del hotel y empezaba su noche. Antes de entrar en el taxi se detenía un momento y aspiraba el aroma de Tokyo, que parecía compuesto de neón y oscuridad. Satisfecho por el cambio que la noche provocaba en la ciudad, se dirigía a ella, buscando los lugares donde le esperaban las mujeres...

Sus objetivos nunca eran las profesionales. Prefería a las solitarias y a las que languidecían esperando un amor. Para poder cazarlas, acechaba por la noche en los cafés, los bares, los salones de baile y los cines. Siempre buscaba en lugares alejados de las zonas de negocios, o de los lugares habituales de diversión. Oficinistas, contables, mecanógrafas, peluqueras... incluso estudiantes; todas ellas le esperaban en los salones de baile, o en las cafeterías, o en los cines. Le esperaban. Eran sus víctimas. Sólo tenía que encontrarlas.

Para él, las mujeres no eran más que dianas de hojalata colocadas en el barracón de tiro de una verbena. El hombre aprieta el gatillo y la mujer cae, pero al estar hecha de hojalata puede volver a levantarse. Así que podía seguir disparando mientras le apeteciera hacerlo.

Hasta que algún día la diana no fuese de hojalata y derramara sangre.

Ichiro Honda sabía manejar a las mujeres. Tenía el talento de descubrir cómo pensaban al primer encuentro. ¿Que a su víctima le interesaba el arte? Muy bien, sería un músico o un pintor. Hasta ahora había sido piloto de una línea aérea, poeta, barman... Oírle en su último papel, explicando la manera correcta de preparar un combinado, bastaba para dejar sediento a cualquiera. En lo que a su país de origen se refería, siempre había encontrado conveniente pretender que no era de Japón. Solía decir que había nacido en Inglaterra, o en París, o que había pasado la infancia en Chicago. No solía entrar en detalles, con eso bastaba. De niño, sus compañeros de clase se burlaban de sus rasgos extranjeros, pero, ahora, su rostro cincelado le dejaba en muy buen lugar.

Hasta tenía un pasaporte británico, ya caducado y abandonado por su propietario, para enseñar. Le tomó tres días cambiar la foto y la firma, y corregir las fechas, pero había valido la pena. No violaba ninguna ley. No lo utilizaba en asuntos de inmigración o de aduanas, sólo con las mujeres. Podía dejarlo, destacando por sí solo con su forro azul marino y el dorado escudo de armas, en una mesilla de noche, en el mostrador de un bar. Sobraban las palabras, una mujer sólo tenía que verlo para creerle.

Pese a utilizar semejantes tácticas, estaba interiormente convencido de que las mujeres eran sus presas naturales debido a algún tipo de don innato, algún sentido sobrenatural con el que había nacido. A menudo se despertaba con la premonición de que ese día tendría una mujer. No podía explicarlo. Era como una mezcla de excitación mental y aceleración de los biorritmos del organismo. Esas premoniciones podían asaltarle mientras efectuaba actos puramente rutinarios, como atarse los cordones del zapato. Ni siquiera el trabajo en la oficina podía alejar esos pensamientos de su mente. Le acompañaban todo el día; le parecía que el alma le abandonaba y flotaba por encima de su cuerpo, esperando el anochecer.

El 15 de octubre —un día que se le grabaría a fuego en la memoria por los subsecuentes interrogatorios de la policía, el fiscal, su abogado y el juez—, tuvo una premonición mientras se hacía el nudo de la corbata. Volvió a hacer el nudo cuidadosamente, cogió la llave de la habitación y bajó las escaleras de dos en dos, silbando alegremente, evitando el ascensor por considerarlo demasiado vulgar para un día tan señalado. Leyó el periódico en el vestíbulo de recepción mientras tomaba su té matinal. Entró en el comedor y encargó un desayuno a base de tostadas, jamón y huevos, mientras seguía las noticias locales: accidentes de tráfico, dobles suicidios y asesinatos... ¿Qué tenían que ver con él? Para él, esos dramas humanos sólo eran manchones de tinta en una página. No podía anticipar lo que sentiría al leer la prensa dentro de unas semanas. No sabía que no era más que un insecto que volaba sin saber que la red estaba a punto de atraparle. En ese momento pensaba que el mundo no se ocupaba de él ni de sus actos.

Se dirigió al metro en un estallido de alegría y

expectación. Se sentía como un cazador cuando prepara el terreno, y el mundo entero parecía estar bañado por la luz del sol.

2

La tarde del 5 de noviembre, Ichiro Honda subió al autobús en Yotsuya Sanchome y se acercó a Shinjuku Oiwako. Vestía un traje de tweed y una gorra de cazador similar a las usadas por los actores franceses en las películas de los años treinta. Todo el conjunto era de color marrón. Se había cambiado de ropa en el apartamento que tenía alquilado desde hacía dos años bajo el nombre de Shoji Ueda. Al salir del trabajo se dirigió a este apartamento, situado en un edificio bautizado con el nombre de Meikei-So. El casero pensaba que era escritor y que lo utilizaba para trabajar sin que nadie le molestara.

El piso tenía dos habitaciones, una de tres por cuatro metros y la otra ligeramente más pequeña. Las dos estaban decoradas al estilo japonés, tenían moqueta y eran perfectas para los propósitos de Ichiro, ya que gozaba de total intimidad, al no ser curiosos ni el casero ni los demás vecinos del inmueble. Naturalmente, Honda no llevaba a nadie. El guardarropa estaba repleto de trajes y chaquetas, y disponía de un escritorio y una cama. Aquí se preparaba para la noche, tal y como le dictaba su imaginación en ese momento. La decisión no siempre resultaba sencilla: podía ponerse la gorra de cazador, un sombrero de calle o la boina francesa, ¿el jersey de refuerzos rojos o el gastado impermeable? En ocasiones se cambiaba de ropa varias veces antes de quedar satisfecho. Cuando por fin lo estaba, se sentaba y escribía en su diario.

Lo llamaba «Diario del cazador», y en él anotaba todas sus aventuras con mujeres. Lo tenía desde hacía muchos años, y ya estaba casi lleno. Cada vez que le asaltaba esa premonición, seguía la misma rutina: iba al apartamento, se cambiaba y leía o escribía en su diario de conquistas.

Al leer cada anotación, rememoraba sus victorias, volvía a paladear el sabor de cada mujer. Evocaba el tacto de un pecho en su mano, el deslizarse de la ropa interior a lo largo del cuerpo hasta caer al suelo... Repasar las experiencias del pasado le preparaba para los placeres que le esperaban por la noche.

Aquella tarde en particular, el libro se abrió en una anotación hecha un año antes. Más tarde no lo achacaría a la casualidad y pensaría que una mano invisible había guiado la suya, pero en aquel momento no creyó que fuera nada anormal. Leyendo el pasaje, recordó con claridad a la mujer. Volvió a ver el rostro marcado por el acné. Leyó las palabras escritas con trazo claro y enérgico.

18 de agosto

Calor abrasador. A las 3 del mediodía, el termómetro marcaba 38°C. Manché los zapatos italianos en el asfalto semiderretido cuando iba al trabajo.

Me invitaron a nadar, pero hoy no me atraía el mar y decliné la oferta. El calor me recordaba una tarde ociosa que pasé en un café de Chicago. Permanecí sentado la velada entera mirando cómo giraba interminablemente el ventilador del techo.

Estaba dividido entre la pereza y el deseo carnal. Me asaltaron deseos sexuales dos veces en el trabajo, una por la mañana y otra por la tarde.

Cené en el hotel. El calor, que no había disminuido al ponerse el sol, enfrió mis ansias de caza. Fui a un cine climatizado y me dormí a los diez minutos. Luego me acerqué al Shinjuku. Bebí escocés con agua en bastantes bares: el Boi, el Black Swan, el Bon Bon... Encontré la víctima en el cuarto, el Boi.

La cacé a la primera.

Informe de los trámites

Aparecieron unos músicos ambulantes y pedí que tocaran *Zigeuner Leben*. Me gustaba esa canción cuando estudiaba. Sorprendido al oír que una aterciopelada voz de alto me acompañaba. Muy teatral todo. Cantamos varias veces la canción. Me excitaba más que de costumbre al sentir a mi víctima cercana, pero invisible.

Chica delgada. No hubo acoso. Comió directamente en mi mano. Dejamos el Boi y la llevé a otros sitios.

Un taxista nos llevó a un hostal con aire acondicionado en el que ya había estado antes. Esta vez cobraron el doble. Tenerlo en cuenta para no volver.

La presa aguantaba bien la bebida. No opuso resistencia, ni hubo histerismos, ni sobreactuó.

Se puso en mis manos. Me sentí como un dios aceptando un sacrificio humano.

Hizo todo lo posible para satisfacerme, pero estaba muy tensa y no dejaba de temblar. Tardé dos horas en matar. Era virgen. Sangró.

Durmió durante tres horas. Tenía una extraña expresión de alivio en el rostro. No puedo adivinar por qué.

Registré su bolso. Como esperaba, no tenía mucho. Le metí unos cientos de yens.

Dejé el hostal a las 5 de la mañana. Llevé a mi presa a Omori en un taxi. Tuve que despertar a la encargada. Estaba de mal humor y aceptó mi pago con gruñidos. Mi víctima lo notó y dijo algo así como «Pobrecilla, también debe tener una vida muy dura».

Todos sus familiares murieron con la bomba atómica. Vive en Omori, con una hermana de veintinueve años.

Keiko Obana.
19 años.
Operadora de centralita.
Apartamentos Fuji, XX Omori Kaigan, Shinaga-wa-ku.
Empleada en la compañía de seguros K-Life.

POSTSCRIPTUM
15 de enero

La víctima se suicidió seis meses después de su asunto conmigo. Los periódicos dicen que la causa fue una enfermedad laboral. Pobrecita Keiko.

Tras rememorar el rostro de Keiko, pasó una página y leyó la siguiente anotación. La posible conexión que había entre él y el suicidio de la chica, no le pasó por la cabeza. Los artículos del periódico no eran más que datos que alimentaban las entradas del diario.

Recordaba su espalda alejándose por las estrechas calles de Omori Kaigan. El fresco aroma del mar llenaba el aire. Aunque siempre le dolían las despedidas, las consideraba un precio que debía pagar por el amor. Sacudió la cabeza con tristeza. Ahora no tenía tiempo para sentimentalismos, estaba dispuesto a salir de caza, así que alejó esos pensamientos de la mente.

Se acercó al armario y empezó a vestirse meticulosamente. Decidió ponerse una chaqueta marrón oscuro con un dibujo en zig zag y una corbata rojo sangre. A continuación se puso un abrigo ligero de tweed, hecho en Inglaterra. Se miró en el espejo y se peinó el escaso pelo. Reflexionó antes de ponerse una gorra de caza marrón oscuro. Luego, como si se le acabara de ocurrir, torció ligeramente la corbata.

Al igual que los demás hombres de su clase, era un narcisista. Examinaba su rostro en el espejo, fijándose aprobadoramente en los ojos negros y en los párpados. No era sólo su cara, era también una máscara en la que los demás veían lo que querían. A él le parecía una cara encantadora, y se guiñó un ojo. La cara del espejo le devolvió el guiño.

En el exterior, el gélido aire atacó su garganta desprotegida, pero los pies le bailaban felices sobre el pavimento. En los carriles que no ocupaban los tranvías, los coches se pegaban tanto los unos a los otros que le costó trabajo encontrar una brecha que le permitiera atravesar el tráfico y coger el abarrotado autobús que pasaba en ese momento.

Se bajó en Shinjuku Oiwake e inmediatamente le atrajo la hermosa colección de instrumentos musicales colocados en un escaparate brillantemente iluminado. Era Kotani, una conocida tienda de música. En el interior, todo era luz y alegría: estudiantes, parejas y empleados abarrotaban los mostradores comprando equipos de radio, discos o instrumentos musicales. Entró y, en seguida, se fijó en un grupo de administrativas que hacían corro ante un mueble con discos. Casi todas rozaban la veintena, pero había una que destacaba del grupo por su mayor edad. Se distanciaba de sus compañeras, permaneciendo callada y ajena a su alegre parloteo. Evidentemente todas trabajaban para la misma compañía y por su conversación dedujo que eran mecanógrafas de inglés. Parecía que se casaba alguien del trabajo y que estaban allí para comprarle un regalo.

Observándolas se hizo su composición de lugar. La mayor podría ser su objetivo para aquella noche. Notaba en ella una mezcla de soledad e irritación y, cuando la oyó rechazar una invitación para ir con las demás a una cafetería, se decidió. Retrocedió un poco y disimuló todo lo que pudo mientras vigilaba al grupo.

Poco después, la mujer dejó a sus compañeras y se dirigió a la puerta. Se fue sola de la tienda, e Ichiro la siguió.

Su víctima iba bien vestida, con una chaqueta de cuello de piel, parecía tener más de treinta años y algo en su gesto mostraba el orgullo de la mujer que vive sola, al mismo tiempo que la tristeza de la mujer que ha perdido la oportunidad de casarse. Estaba lista para ser la víctima de aquella noche.

La siguió, sabiendo de antemano, por la conversación que había oído, que se dirigía a la estación de Shinjuku. Tenía mucho tiempo para alcanzarla y entablar conversación. Hasta entonces, sus premoniciones no le habían defraudado nunca, y todo había ido como la seda. Así sería también aquella noche.

La alcanzó en el paso de cebra situado frente a los almacenes Isetan. La mujer se detuvo, esperando que cambiara el semáforo, ignorante de su presencia tras ella. La idea de que la mujer que tenía ante él sería suya en unas horas le producía una sensación de sensualidad y alegría mezcladas. Se sentía como un personaje de cuento de hadas, escondido bajo una capa de invisibilidad. El viento del norte le golpeaba el rostro anunciando el invierno, y los papeles viejos y las hojas de los árboles formaban remolinos en el aire. A su alrededor, la gente se desplazaba por la calle, volviendo las cabezas contra el viento.

Al principio parecía que la mujer se dirigía hacia la estación, como había dicho, pero se paró frente a la entrada del cine Meigaza y se quedó mirando el póster de una película francesa que estaban proyectando. Él, a su vez, se detuvo frente al escaparate de una librería cercana. El timbre que señalaba el último pase empezó a sonar, y eso pareció decidirla. La mujer entró en el cine, tal y como el sexto sentido de Ichiro predijo. Pese a decirles a sus compañeras que tenía una cita, era otra de sus víctimas hambrientas de amor. Sólo tenía que darle un ligero empujón y sería suya.

Para aquella solterona que ya no era tan joven, tenía que haber resultado molesta la conversación sobre la boda de su compañera; era como el añejo licor de un romance que no había vivido nunca. Todo lo que tenía que hacer era hablarle y escuchar todo lo que quisiera decirle. Con eso bastaría.

Cuando desapareció en el interior, contó lentamente hasta cinco y la siguió. Se detuvo un momento para distanciarse un poco y poder alcanzarla en las escaleras que conducían a la entrada del cine, cinco pisos más arriba. Sería cosa fácil si nadie se interfería.

Contuvo el aliento y empezó a subir los escalones de dos en dos.

3

Fusako Aikawa, mecanógrafa de inglés de la Sato Trading Company, no sabía que Ichiro Honda le seguía por las escaleras del Meigaza. Iba recordando sus días escolares, cuando era cliente habitual de aquel cine. En aquellos tiempos, no le asustaba la caminata de cinco pisos. De hecho, le encantaba subir por aquellas escaleras, porque creía que un mundo encantado y misterioso le aguardaba en la cima, y que cuando llegara arriba se vería inmersa en otra vida más auténtica y atractiva que ésta. ¡Cómo ansiaba en aquellos días inocentes vivir una vida auténtica! ¿Y qué había resultado ser, cuando al fin la obtuvo? ¿Qué había conseguido en los últimos diez años, aparte de la rutina de ir al trabajo y volver a casa a dormir todas las noches?

Sí, claro que había tenido relaciones con uno o dos hombres, pero, ¿habían significado algo? No habían sido más que aburridos flirteos, nada que pudiera compararse a la vida que ansiaba, la vida de la gran pantalla. Los olvidó para concentrarse en el trabajo y convertirse en una empleada modelo que ahorraba la mitad de su salario, una solterona que se alejaba de los placeres mundanos. Ni siquiera ella misma sabía hasta qué punto se había convertido en eso.

¿Qué fue lo que la convirtió en una solterona? El despetador que sonaba todas las mañanas, los abarrotados trenes que la llevaban al trabajo, la monótona repetición de los menús de la cafetería de la oficina...

Y lo peor es que estaba furiosa consigo misma por huir de sus compañeras utilizando la primera excusa que se le había ocurrido, para alejarse así de la dolorosa conversación sobre la boda de su compañera. ¿Por qué había tenido que decir que tenía un compromiso? ¿Por qué no les había dicho que su parloteo sentimental le disgustaba?

Se paró a medio camino para recuperar el aliento. El timbre dejó de sonar. En el interior, debían de estar apagándose las luces. Se sintió atrapada en un vacío. Entonces fue cuando oyó los pasos de Ichiro Honda subiendo por la escalera y se hizo a un lado para dejar pasar al desconocido.

Por supuesto, no era eso lo que Honda pretendía, y tropezó deliberadamente con ella, esperando que así podría entablar conversación. Ella resbaló y estuvo a punto de caer, pero se apoyó en la pared. Se dio la vuelta, dispuesta a insultarle, pero se sintió desarmada por el vacilante japonés de su disculpa.

—Lo siento mucho —dijo, extendiendo una mano para ayudarla.

—No se preocupe. Estoy bien —respondió sonriendo.

No conocía la táctica del cazador y, tal y como esperaba éste, le causó una buena impresión aquel joven con gorra deportiva y el nudo de la corbata torcido.

—¿Todavía queda mucho para llegar al cine? —dijo con su profunda y atractiva voz.

—Sí, un poco.

Por alguna razón, quizá porque se trataba de un

extranjero, Fusako adoptó un extraño tono de voz y esto, curiosamente, la relajó e hizo que bajara su habitual guardia contra los desconocidos. Extrañamente, aquel encuentro en las escaleras con un extraño que hablaba un japonés espantoso le parecía lo más normal del mundo.

—Es una pena que no haya ascensor, ¿verdad? —dijo, y continuó subiendo las escaleras con el desconocido a su lado.

Jamás pensó que no fuera extranjero. Aunque los rasgos sí parecían japoneses, su manera de comportarse difería de la de sus compañeros de trabajo. El modo en que se mantenía erguido y se movía, esa especie de franqueza que irradiaba... todo le convertía en un extranjero. Había caído en la trampa de Ichiro.

—Esta película de mi país.

Vocalizó cada sílaba con cuidadosa lentitud, asegurándose de que ella captara el significado. Como respondiendo a la pregunta no formulada de, «¿Por qué quiero verla?»

—¿Es usted francés?

—No. Argelia. Llamo Sobra. Vengo a Japón por estudio.

La imagen de un estudiante proviniente de un país en desarrollo hizo que Fusako se sintiera protectora.

—Ah, ya veo. La película está ambientada en Argelia. ¿Todavía tienen Legión Extranjera?

Ella mantuvo la conversación a medida que subían juntos la escalera y, por alguna razón, su corazón entonó una melodía.

Al llegar arriba, la taquilla estaba cerrada e Ichiro se encogió de hombros. Ante aquel gesto tan poco japonés su corazón se derritió. Una chica que había al otro lado de la habitación les llamó la atención para indicarles dónde se vendían ahora las entradas, así que acabó pagando las entradas de los dos. Ichiro protestó, pero como ya había empezado el noticiero, se apresuraron hacia el interior.

Durante las dos horas que duró la película permaneció erguido en la butaca, sin desviar la vista de la pantalla. No hizo ningún gesto sospechoso o provocativo, como cogerla una mano. En presencia de aquel tranquilo estudiante extranjero, cada vez se sentía más a gusto, y los sentimientos que le inspiraba se fueron tornando cada vez más ardientes.

Al finalizar la película, salieron por la puerta trasera y bajaron por la escalera de emergencia, evitando el gentío que abandonaba la sala. Se encontraron en una pequeña calle en la que abundaban los bares y todos los locales estaban muy cerca los unos de los otros. Como en la Casbah, pensó, con la mente aún en la película. ¿Habría nacido en un lugar como aquél el hombre que la acompañaba? La idea la llenó de romanticismo.

—¿Tomamos algo? —preguntó en un arranque de decisión.

El hombre aceptó y entraron en un bar. En vez de una bebida suave, las pidió algo fuertes. Se sentía capaz de aguantar todo el alcohol del mundo aquella noche y, de todas formas, quería llegar al final de la aventura.

Cuando salieron, pagó el hombre.

—Permítame la siguiente ronda —dijo ella, conduciéndole a otro bar.

Se sentía orgullosa por acompañar a un extranjero, consideraba que había que tratarlos con hospitalidad.

Poco a poco fue emborrachándose, y el alcohol le soltó la lengua. Habló de todo, de su trabajo y de sus compañeros de oficina, de su pasado y de su infancia, del apartamento en Koenji donde vivía sola. El hombre no preguntaba nada, y ella siguió hablando. Todo lo que había permanecido en su interior salió fuera, y si el hombre no la entendía bien, mejor que mejor. Se limitaba a permanecer sentado y a escucharla, mirándola y sonriendo a todo lo que le decía. Jamás dejaba de sonreír. Era el oyente perfecto, así que continuó hablándole.

No se había dado cuenta de que el bar era uno de esos que permanecían abiertos toda la noche y se sorprendió al darse cuenta de que ya eran las dos de la madrugada. Tenía que irse a casa. Se puso en pie tambaleándose, y casi se cayó. Mientras se recuperaba, su acompañante pagó la cuenta. Estaba tan borracha que tuvo que sujetarse del brazo del extranjero. Parecía flotar pese a que los tacones se le enganchaban en el pavimento. Jamás se había sentido así y, lamentándolo sólo a medias, empezó a flirtear con él.

—No tienes adonde ir esta noche, ¿verdad?

Negó con la cabeza. Aquel gesto infantil le recordó un perro vagabundo. Paró un taxi.

—Entra. Vamos a mi apartamento. Nunca he llevado a nadie, pero tú vas a ser la excepción.

Intentó decírselo en un susurro, pero lo dijo en voz alta y aguardentosa.

Cuando el taxi llegó ante su apartamento, las luces de las farolas que conocía tan bien, y hasta la palmera colocada en una maceta que había a la entrada, bailaron ante ella como si fueran fantasmas. Por un momento no reconoció el lugar, y pensó que se había equivocado de sitio.

Por fin, con diez años de retraso, la auténtica vida cinematográfica con la que había soñado empezaba a sucederle. Subió desequilibradamente los escalones desiguales que llevaban a su apartamento. El hombre la sujetaba con una mano, y se apoyó en él. A través de la gruesa tela del abrigo, notó su mano en el pecho.

Abrió la puerta y entró, aún apoyada en él. No había calefacción y el piso estaba frío como el hielo. Encendió una estufa y la colocó ante su invitado mientras preparaba té. Él lo tomó con torpeza. ¡Qué joven e inexperto parecía! Cogió dos edredones, dos colchas, dos juegos de sábanas y dos almohadas, y empezó a hacer las camas diciéndose que no había nada vergonzoso en dormir al lado de un hombre y que, de todos modos, estaría atenta toda la noche. Le llamó:

—Traiga la estufa. Le ayudará a calentarse. Japón es un país mucho más frío que el suyo.

¿Qué menos podía ofrecerle a un hombre de tan lejana tierra de desiertos?

El hombre la miró con ojos ardientes. «Si me desea» —pensó ella ebriamente—, «¿me entregaré a él?». El hombre se desnudó lentamente y ella se acercó a coger sus ropas, pero se encontró atrapada en un fuerte abrazo. ¡Qué fuertes eran sus brazos! ¡Y parecía no hacer esfuerzo alguno! Los argelinos debían ser distintos de los demás hombres. Se asustó un momento y se resistió, pero entonces la besó. Cayeron en la cama y dejó de resistirse. Se entregó a él.

El hombre se tomó tiempo, parecía saborear todo su cuerpo. ¿Lo hacían así en Argelia? Eso la enfrió un momento, pero la aversión desapareció, convirtiéndose en placer, cuando sintió sus labios recorrerle el cuerpo. Notó su sudor y le recordó los desiertos del norte de África que había visto en la película, apenas unas horas antes. Se vio arrastrada a una tierra primitiva, convertida en un animal, y se sometió.

4

A las cinco de la mañana, Ichiro Honda se dio la vuelta en la cama y tocó a la mujer desnuda. La mujer siguió durmiendo, pero él se despertó.

No recordó dónde estaba hasta que se dio cuenta de que era el apartamento de la mujer, y no en su cama del Toyo. Subió la mano izquierda a la altura de los ojos y consultó el Omega de esfera luminosa. Había cambiado la fecha: «Ya es mañana», pensó. Salió de la cama cuidadosamente, procurando no despertar a la mujer que dormía a su lado.

El ambiente helado le golpeó, haciendo que se le pusiera carne de gallina. Se frotó vigorosamente el pecho y los fuertes hombros y se vistió con rapidez. Al lado de la cama seguía encendida una pequeña luz, y pudo examinar la habitación. En el escritorio había una máquina de escribir portátil. Reflexionó un momento, cogió una hoja de papel y empezó a teclear con lentitud, sin dejar de mirar a la mujer por si le despertaba el ruido, pero seguía durmiendo. Podía ver su rostro asomando por entre las sábanas. Incluso dormida parecía cansada; nada podría despertarla ahora, y mucho menos aún el ruido de una máquina de escribir.

Dejó el papel en el rodillo y salió al vestíbulo, donde le asaltó el ácido aroma del apartamento. Para él, aquel aroma sugería la melancolía propia de los lugares extraños y le recordaba una sensación que había tenido muchos años antes en algún piso de Chicago. Salió a la calle y aspiró profundamente el fresco aire de la mañana, saboreando la sensación de liberación que le proporcionaba la aventura de la noche anterior. Cuando llegó al cruce de calles de Olympic Street, intuyendo el camino entre la niebla, había desaparecido ya la sensación.

Paró un taxi e hizo que le llevara al Meikei-So, donde se cambió de ropa antes de aparecer en el Toyo, a las seis de la mañana. El recepcionista disimuló su curiosidad y fingió no mirarle al darle las llaves. Honda le dio las gracias cortésmente y se dirigió a las escaleras.

Durante el resto del día, mientras intentaba concentrarse en su trabajo, Honda estuvo bajo los efectos de la languidez post-coital que le quedaba en el cuerpo, como los posos de un buen vino. Por la tarde estaba demasiado cansado para salir del hotel, y se quedó en su habitación. Al terminar la cena, se sentó en un sofá pegado a la pared de la recepción y se puso a leer la prensa. Repasó perezosamente la sección local hasta que una noticia le llamó la atención y la leyó con cuidado. A las dos de la madrugada anterior, una cajera de un supermercado había sido estrangulada en su apartamento de Kinshibori. El nombre y la dirección le eran familiares. Eran los de una de sus víctimas más recientes, una chica con la que había ligado dos meses antes en un salón de baile de Koto Rakutenchi.

Se echó hacia atrás y miró el techo con el ceño fruncido. Recordó el apartamento barato, situado en un barrio lleno de almacenes, creía recordar. Ante él pasó un extranjero dando zancadas, seguido al trote por el botones que llevaba sus maletas. Eso le sacó de sus reflexiones, por lo que volvió a colocar el periódico en el revistero y salió del hotel. Se acercó al kiosko de la calle y al puesto de periódicos del metro y compró todas las ediciones de la tarde que pudo encontrar. En el vagón leyó ansiosamente todo lo relativo al asesinato de la cajera.

Las fotografías no parecían coincidir con la chica que recordaba. Aquélla tenía bolsas alrededor de los ojos y unos carrillos que no aparecían en las fotos. Quizá no fuera la misma chica, pero tenía que saberlo. No descansaría hasta comprobar el nombre y la dirección en su «Diario del cazador».

Salir del abarrotado vagón en la estación de Yotsuya Sinchome resultó difícil. Tuvo que abrirse camino a empellones. Al hacerlo notó que una joven pegaba su cuerpo al suyo, lo cual despertó su sensualidad. Cuando consiguió salir al andén, sintió una profunda inquietud, porque parecía como si la gente que se había quedado en el vagón le mirase acusadoramente y pudiera salir en su persecución en cualquier momento.

Se metió los periódicos en el bolsillo y salió de la estación. Camino de su apartamento, paró en una licorería a punto de cerrar y compró una botella de whisky escocés y un tarro de aceitunas. Nada más llegar, abrió el bote y comió unas cuantas. El sabor del aceite se le quedó en el paladar y en el estómago, y se lo quitó con un trago de whisky. Abrió el diario y comprobó que el nombre y la dirección coincidían. Empezó a leer el pasaje, escrito dos meses atrás.

2 de Octubre

Cielo encapotado.
Tenía cita de negocios esta mañana en Chiba. Volví a las 3 de la tarde. Autopista congestionada, tuve que desviarme por Chiba Kaido. Paisaje gris pálido. Hollín, humo y cenizas de las fábricas alineadas a lo largo de la carretera.

Dejé el coche en la oficina y paseé por Koto Rakutenchi. Cines, pósters chillones de películas de baja estofa, tangos tocados por orquestas de segunda clase. Oí música al pasar ante un salón de baile, y entré.

Tuve que pagar vale por consumición para poder pasar. Pista pequeña y muy oscura. Miré a hurtadillas en el salón de té. Presas potenciales. También abundaban jóvenes desarraigados y futuros delincuentes.

Me senté solo durante un rato. Una voz de mujer detrás mío se ofreció a canjear mi vale. Pantalones blancos, suéter azul, aspecto recatado, pero parecía bastante liberada. Hablamos. Tono familiar y un tanto vulgar, pero podía servir.

Hoy su día libre. Dijo que trabajaba en supermercado. Bailamos un poco y sugirió que fuéramos al F-Health Centre. Tenía curiosidad y acepté. Tomamos taxi hasta Funabashi. Mi papel de hoy es el de viajante americano con ascendencia japonesa. El lugar estaba lleno de mujeres y viejos. Parecían granjeros. Lo pasamos bien bailando entre comidas y bebidas.

Víctima sugirió un baño juntos. Esperamos una hora para que quedara libre un pequeño cuarto de baño. Pasamos la espera bebiendo y comiendo no muy buen sushi. Tal vez por ser temprano, me encontraba fuera de lugar entre esos pueblerinos. Ella hablaba continuamente y yo escuchaba intentando aumentar mi deseo mirándole la nuca y el rostro ruborizado por el alcohol. Baño por fin libre. Pagamos a la mujer mayor encargada del sitio, cogimos la llave y entramos. Nos sumergimos en el agua mineralizada mientras examinaba el cuerpo de la víctima. Su blanco cuerpo parecía bailar bajo el agua. Baño enlosado. Toqué su cuerpo. No hubo rechazo. Me senté en la bañera, lo pasamos bien y mi deseo aumentó. Sus pechos y su ancho trasero se endulzaban con las sales minerales. Me dejaban buen sabor en la lengua.

Las baldosas se marcaron en su espalda recordándome marcas de látigo y ventanas enrejadas.

Sonó el timbre: se acabó el tiempo. La encargada nos miró con curiosidad mientras nos íbamos.

Fuimos directamente al Kinshi-Cho. El deseo aumentó y se interrumpió bruscamente. Molesto, pero mejor que la sensación de vacío que me sobreviene después del acto.

La llevé a un restaurante coreano. Tenía enorme apetito y devoró un gran cuenco de arroz con escabeche. No hicimos nada esa noche, pero me dibujó dirección de su apartamento y prometí llamarla en unos días.

La entrada del 2 de octubre terminaba ahí, con el mapa que le dibujó la chica pegado con celo a la página. Estaba dibujado con mano de niña. Con la mente ausente, miró los lugares que señalaban el camino: una parada de tranvía, un foso, un puente... Poco a poco le llegó la imagen del apartamento y pudo recordar con claridad las calles estrechas y el puente.

El apartamento estaba detrás de una maderería. Cuando se acercó allí, la noche le envolvía con su negro manto y recordaba haber pasado junto a los montones de troncos, oscuros como sombras.

Volvió a pensar en el informe del asesinato que había leído en el periódico. La habría descubierto el chico que repartía la leche a las 5,30 de esa misma mañana, justo cuando esperaba el taxi en Olympic Street. Se imaginó al chico atravesando la maderería con las botellas de leche tintineando en la caja de la bicicleta, y al cruzar el jardín trasero del apartamento, el chico notaría que la ventana estaba entreabierta y se podía ver toda la habitación reflejada en el espejo del tocador. Y la mujer que Ichiro Honda había visto agitarse contra las baldosas del baño... las mismas piernas que bailaban bajo el agua eran las que el chico había visto, paralizadas por la muerte.

Honda recordaba bien el tocador. Estaba cubierto con un paño rojo de terciopelo en el que se amontonaban tarros de polvos, botes de cremas y lociones baratas. Ahora le resultaba desagradable recordar que la chica había cogido un bote de loción de esa misma mesa y se había frotado el cuerpo con ella. Tiró el periódico disgustado, abrió la ventana, y respiró a bocanadas el frío aire de la noche. Le parecía increíble que a la mujer que recorrió su cuerpo con los labios estuviera ahora muerta.

A todas luces, era la misma mujer. El nombre y la dirección anotadas en su diario lo confirmaban.

Los periódicos decían que la noche de su muerte recibió a un hombre en su apartamento, y que todas las evidencias señalaban que habían hecho el amor. Kimiko Tsuda debía de ser algo similar a una prostituta, supuso. Aunque no recordaba nada que se lo confirmara —no había exigido que le pagara— pensó que era probable, por su charla excesivamente familiar y su pericia sexual. El caso es que un hombre había pasado la noche con ella, y que eso había sido su fin.

Los periódicos también decían que tenía numerosas amistades masculinas, y que serían eventualmente interrogadas. ¿Y él? No debía preocuparse, había estado en su apartamento sólo una vez y ella le había conocido con el nombre de Sobra, viajante estadounidense.

Cerró la ventana y, en ese momento, inexplicablemente, recordó lo grande que le había parecido el blanco de sus ojos cuando ella levantó la cabeza de su entrepierna.

En aquel momento no parecía haber relación alguna entre el asesinato de su víctima y el hecho de haber dormido con otra aquella misma noche.

Pasó mucho tiempo antes de que viera clara esa relación.

LA SEGUNDA VÍCTIMA

19 de Diciembre: Fusako Aikawa muere estrangulada en los apartamentos Akebono-So, en el distrito XX, Koenji, Suginami-Ku.

1

A las 8 de la tarde del 19 de diciembre, Ichiro Honda estaba en la plataforma de observación de la torre de Tokyo. Le acompañaba una chica, estudiante de una escuela de arte, a la que había conocido hacía una semana.

Llevaba una gorra ligeramente ladeada hacia atrás y el abrigo desabrochado. Caminaba con las manos hundidas en los bolsillos. Esta vez, era corresponsal del *The Times* de Londres. Era su tercera cita con la chica, Mitsuko Kosigi. La consideraba una nuez difícil de romper, y se estaba tomando el tiempo necesario, pero tenía que volver a Osaka en Navidad y aquella noche era su última oportunidad. Debía atacar, pasara lo que pasara. La vigilaba con el rabillo del ojo, preguntándose cuál sería la mejor manera de actuar.

Mitsuko contemplaba el aspecto nocturno de la ciudad, las luces la hacían parecer engarzada en pedrería. Sus ojos sin maquillaje brillaban ante el espectáculo. Su cara no era perfecta, pero su cuerpo, en contraste, se había desarrollado maravillosamente y tenía un aire de inmadurez que atraía mucho a Honda. Tenía sólo diecinueve años. Hacía tiempo que no había disfrutado de una mujer tan joven y no estaba dispuesto a dejarla escapar.

La había conocido en el Museo de Arte Occidental de Ueno cuando abocetaba una estatua que representaba un hombre muy musculado. Ichiro había adquirido la costumbre de visitar los museos un par de veces al mes por considerarlos terrenos de caza muy fructíferos. Alabó su trabajo y se presentó como corresponsal de un periódico extranjero. Fueron juntos a la cafetería del museo y tomó un té y una pasta con el desaliño típico de los extranjeros. En la conversación descubrió que ella estaba de vacaciones y la convenció para que le hiciera de guía. Al día siguiente, le llevó a un recorrido en autobús por los cabarets de Yoshiwara y Akasaka, y a una representación kabuki, en vez de los lugares típicos de turistas. Esta noche le había llevado a cenar y ahora visitaban la torre de Tokyo.

Escuchó atentamente todas sus explicaciones, pero no pudo dejar de fijarse en su bonita guía cuando recorrían la ciudad en autobús. Tenía el pecho grande y unas nalgas desafiantes. No le preocupaba que se diera cuenta que la miraba. En el teatro Kabuki probó a su nueva presa poniéndole la mano en la rodilla. Ella le ignoró y siguió mirando la representación con la vista fija en el escenario. ¿Era así cómo le gustaba? ¿Pretendiendo que no pasaba nada, por mucho que él avanzara? La mera idea le irritaba.

De repente, se tensó y murmuró un «vergonzoso» en inglés.

—¿Cómo? —preguntó, mirándole a la cara.

—No, nada. Nada —respondió embarazado.

Le había venido a la memoria el recuerdo de una velada teatral en América, donde se sintió atraído por una mujer blanca que llevaba medias negras. ¿Por qué le asaltaba ahora aquel recuerdo en el teatro Kabuki? ¿Y qué fue lo que le hizo suspirar por la mujer blanca? ¿Una vida de estudiante demasiado monacal? Y, de todos modos, ¿no era lógico sentir esos deseos a semejante edad? Sí, claro que sí, pensó relajándose. ¿Por qué lo habría recordado en aquel momento? Sonrió tranquilizador a su acompañante.

—No pasa nada, repitió.

Un poco más tarde, volvió a colocar la mano en su rodilla y recorrió un poco el muslo, saboreando la sensación de lujuria insaciable.

Ahora estaban en la torre de Tokyo y tenían delante un grupo de colegialas que parecían haber terminado con el telescopio. Las niñas se marcharon parloteando con acento pueblerino y condujo a Mitsuko hasta el telescopio. No había nadie cerca.

—¿Quieres echar un vistazo? —preguntó, sacando una moneda de su bolsillo.

—¡Sí, sí! ¡Me gustaría saber qué se ve!

Se acercó al telescopio e Ichiro introdujo la moneda. Puso una mano en su hombro y acercó su cara a la suya como si fueran a compartir la vista. Ella se estremeció ligeramente al darse cuenta de que la tocaba, y eso le llenó de emoción. Transcurrieron tres minutos y la lente se cerró con un click. Colocó los labios en su mejilla y ella no se movió. Hizo que girara la cabeza para que sus labios se encontraran, y siguió sin resistirse ni cooperar. De repente, detectó un movimiento con el rabillo del ojo. ¿Les miraba alguien?

Se quedó inmóvil y miró a su vez. El movimiento provenía de una enorme pecera llena de peces tropicales. Si había alguien vigilándoles se habría dado cuenta de que le habían descubierto y se habría retirado por las escaleras. Lo único que veía ahora eran peces nadando bajo la luz artificial.

Besó a la chica manteniendo la vigilancia en la pecera, pero siguió sin ver a nadie. Algún colegial, pensó; se sintió estúpido y retrocedió, dejando que Mitsuko tomara aire. La saliva brillaba en sus labios. Volvió a besarla y su atención se desplazó de la pecera a las sensaciones que recibía de la punta de la lengua. Algo se movía, pero no era más que otra pareja como ellos, buscando un rincón discreto. Abrazó a Mitsuko con más fuerza y la volvió a besar.

Cuando bajaban en el ascensor, abarrotado de gente, volvió a sentirse vigilado, pero no pudo localizar a nadie en especial.

Pararon un taxi en la salida y se sentó cerca de ella, rodeándola con un brazo y besándola furtivamente. Les interrumpió un taxi que parecía seguirles de cerca y que les iluminó con sus faros. Se vio obligado a desistir para no hacerse notar.

Fueron a un bar, y luego a una cervecería en la que los borrachos les miraban con curiosidad. Luego fueron al Shinjuku, a otro bar, y a una tienda de sushi. Para entonces había olvidado todos los temores a ser seguido que tenía en la torre de Tokyo. De hecho estaba casi completamente borracho, y la chica empezaba a mostrar los mismos síntomas. Habitualmente no bebía mucho, pero esta noche la había inducido a beber más de la cuenta y había demostrado tener más resistencia que él. Ya era la una de la madrugada cuando empezó a sentirse inseguro al caminar.

—Vámonos a un hotel —dijo.

Para su sorpresa rechazó la invitación con firmeza, así que llamó un taxi y pidió que les llevara a Asagaya, la zona donde estaba el apartamento de Mitsuko. Pareció relajarse al oírlo y se arrimó a él en el asiento trasero del coche. Quizá todavía podía caer la pieza, quizá quería invitarle a su apartamento.

Y así sucedió.

—¿Quieres subir conmigo? —preguntó cuando bajaron del taxi.

La siguió por un estrecho callejón empedrado. Vivía en un edificio de dos pisos apenas entrado el callejón.

—Lo siento. Vas a tener que quitarte los zapatos. Es una casa japonesa —le dijo al periodista del *Times.*

En el vestíbulo de la entrada había un armario para los zapatos, con compartimentos separados para cada vecino —unos treinta, según parecía—. Abrió el compartimento marcado con el nombre «Kosigi» y le dio unas zapatillas.

—Así se escribe mi nombre, este carácter significa «pequeño» y éste, «cedro». Nuestra forma de escribir es muy interesante, ¿verdad?

Ichiro Honda asintió y miró con gesto fascinado los demás nombres, representando el papel de un extranjero fascinado por la caligrafía japonesa. Los nombres estaban escritos de muy diversas maneras, algunos en sucios trozos de papel y con manchas de tinta semitapando el nombre. Deslizaba el dedo por cada signo mientras escuchaba la traducción que le hacía Mitsuko de cada nombre. Se paró en la tarjeta más reciente.

—Obana. «Pequeña cola.» Un nombre divertido. Es nueva. Está en la habitación 209. Me pregunto en lugar de quién habrá venido.

El nombre resultaba familiar, y Honda intentó situarlo mientras subía por las escaleras, pero no lo consiguió. En su estado, había olvidado completamente que era el nombre de la telefonista que se había suicidado.

La escalera de la entrada, el portal y las escaleras que conducían a los pisos superiores eran muy espaciosas y evidenciaban que, antiguamente, el edificio había sido un hospital. Donde había estado el mostrador de recepción, justo bajo la escalera, habían instalado un teléfono público.

La habitación de Mitsuko estaba en la parte más alejada de la planta baja. Era pequeña, con un fregadero y una cocinita de gas. Había un cuadro inconcluso en un caballete, y muchos otros colgados en la paredes. Los examinó atentamente mientras Mitsuko preparaba café. Lo bebieron y se le notó que no sabía qué hacer a continuación. Jugueteó con los libros y el abrecartas que había en la mesa antes de coger una figura de barro. La examinó nerviosamente, simulando que no sabía qué hacer con sus manos, esperando su oportunidad. La miró y creyó detectar una creciente ansiedad en sus ojos.

Era la oportunidad que estaba esperando. Ella pareció adivinar lo que pensaba porque abrió la boca para hablar.

—Estás... —se interrumpió, pensando que quizá no la entendería.

Honda se acercó y colocó la mano en su rodilla. Ella la rechazó pero sólo consiguió avivar su deseo, y él se echó encima, tirándola al suelo y atacándola con manos y labios. Se resistió con ferocidad.

Después de treinta minutos Honda se rindió. No podía creer que estuviera pasándole eso a él... ¿Por qué? Se separó de ella y la miró a los ojos.

—Lo siento. Hoy no tengo ganas —le dijo.

Se arregló la falda que casi le había quitado en la lucha. Tenía lágrimas en los ojos.

Ichiro se preparó para marcharse. Se levantó y se dirigió a la puerta. A medio camino se detuvo.

—¿Tienes novio?

—Oh, no. No tengo ninguno.

Sonrió en silencio, se giró y besó la prometedora boca con sus labios secos. Era lo menos que podía hacer. Esa mujer era distinta a la que había aceptado sus besos, con el cuerpo temblándole de emoción, en la torre de Tokyo apenas unas horas antes. Ahora la veía tal y como era de verdad: obtusa... egoísta... una mujer perdida en sueños de amor verdadero... ignorante... nada.

—¿Me das tu número de teléfono, por favor?

Se lo escribió en letras grandes y le dijo que le llamara antes de las 10 de la noche que era cuando podía llamarla el recepcionista. Se levantó para acompañarle a la puerta, pero se negó y salió solo.

Al dejar el edificio miró atrás; no había ninguna luz encendida. Parecía que no había nadie despierto a esa hora. Llegó a la carretera y empezó a caminar en dirección a Shinjuku. Se subió el cuello del abrigo y se resguardó las manos en los bolsillos. En su interior rumiaba el fracaso. Se puso a pensar en su mujer, que soportaba pacientemente su soledad en Osaka, a centenares de kilómetros de allí. Tal vez fuera autocompasión pero consideraba que sus empresas infructuosas eran lo que servía de puente entre ellos. «Sólo lo hago por eso... por eso desperdicio mi tiempo cazando mujeres», pensó durante un segundo, pero volvió al presente al ver un taxi. Subió y le dijo que le llevara a su apartamento en Yotsuya Sanchome. Cambió de opinión y decidió hacerle una visita a Fusako Aikawa, la mecanógrafa que había conocido en el cine. Su apartamento estaba sólo a una parada de metro de donde se hallaba. Salió del taxi cerca del apartamento y caminó los últimos metros que le separaban de él. No sentía deseo alguno de estar con una mujer, pero necesitaba algo que le distrajera del vacío que había sentido al caminar por la carretera.

Tuvo problemas para encontrar el edificio, pero acabó consiguiéndolo y pudo llegar al jardín de la entrada, que estaba enfangado por un desagüe atascado. En la tenue luz del jardín pude ver algo de ropa interior en el tendedero que alguien había olvidado retirar por la noche. Las ropas flotaban como blanquecinos fantasmas en la oscuridad.

En el interior, le esperaba la escalera como una enorme boca dispuesta a devolverle en cuanto pusiera los pies encima.

2

Con una sombra de duda, llamó con cuidado a la puerta de Fusako Aikawa, pero no obtuvo respuesta. La última vez que la vio estaba dormida, con el camisón de raso levantado sobre el pecho, y la lasciva imagen flotó ante sus ojos. ¡Qué seductora le pareció entonces! Apoyó el oído en la puerta e intentó oír algo, pero el interior permanecía en silencio.

Hasta ese momento había estado en el apartamento tres veces. La primera vez le llevó Fusako, pero las otras fue por su cuenta y siempre había sido bien recibido, aunque fuera la una de la madrugada. «Puedes venir siempre que te apetezca» dijo al joven estudiante argelino. Sentía en ella un algo protector, diferente de lo que sentían hacia él las demás víctimas, lo que le daba un sentimiento de seguridad.

Miró el reloj: ya eran las tres menos diez. Volvió a llamar con cuidado para no atraer la atención de los vecinos, pero siguió sin recibir respuesta. Era ya tarde y debía de dormir profundamente, pensó. Decidió irse a casa, pero le asaltó ese impulso que te induce a intentar abrir una puerta, aunque de antemano sabes que está cerrada y no hay nadie en casa. Giró el pomo. La puerta no estaba cerrada y entró en el apartamento.

En el interior, flotaba un aroma dulzón, extraño y algo pegajoso que recordaba al de un hospital, dulce y agrio a la vez. Encendió la luz y vio a Fusako tumbada en la cama, completamente desnuda, con las piernas abiertas y las manos a los lados. La cabeza girada a un lado. ¿Estaría durmiendo desnuda con aquel tiempo tan frío?

Se acercó a ella y la miró de cerca. Tenía el rostro hinchado y de color púrpura. Una franja roja tan gruesa como un cinturón le recorría el cuello. Parecía que la habían estrangulado. Acercó una mano a su vientre, tan rosado, y por un instante le pareció que respiraba. ¿Estaba muerta de verdad? Pero no había duda de que lo estaba.

Retrocedió, pero, al mismo tiempo que el terror le invadía, se sintió atraído hacia ella por el deseo. Salió corriendo de la habitación y apagó la luz, borrando así la visión del cuerpo desnudo. Mientras se arrastraba escaleras abajo se dio cuenta del deseo momentáneo que había tenido de violar el cadáver de Fusako, y se supo capaz de semejante acto.

Pero, pensaba... ¿Qué podía haber colocado a Fusako en semejante postura? ¿A qué otro hombre había permitido entrar en su habitación? Sintió como si la muerta le hubiese traicionado. No sabía que su muerte no era más que un eslabón de la cadena de acontecimientos que causarían su perdición.

Se alejó rápidamente del apartamento y no se encontró con nadie durante un rato hasta que, al llegar a un cruce bien iluminado, se topó con un policía. Se miraron mutuamente pero Ichiro no dijo nada. El policía se limitó a mirarlo mientras se daba golpecitos con la linterna. Se marchó sin decir palabra. Honda no tenía intención de denunciar el asesinato que acababa de descubrir.

Tomó un taxi en Olympic Street y, con tono deprimido, dijo que le llevaran a Yotsuya Sinchomo. Se sentó en el coche y repentinamente se le ocurrió que el asesinato de Fusako Aikawa era muy similar al de la cajera del supermercado acaecido dos meses antes. También la habían estrangulado por la noche, aunque en su caso habían encontrado un cordón del camisón atado al cuello. Y aún había otra coincidencia más: la noche que asesinaron a Kimiko Tsuda en Kinschi-Cho... ¿no se había acostado con Fusako por primera vez? Y esta noche... ¿no había esperado disfrutar de Mitsuko Kosugi? ¿Precisamente la noche que Fusako Aikawa había sido asesinada? Le asaltaron espantosas premoniciones pero intentó mantenerlas a raya murmurando continuamente: «¡No! ¡No!» Después de todo, la visita a Fusako había sido una idea repentina y casual. Si no hubiera intentado abrir la puerta, se habría marchado totalmente ignorante de lo que había pasado, así que la muerte de Fusako nada tenía que ver con él. Pero en el fondo seguía oyendo una vocecita susurrándole: «¿De verdad crees eso? ¿De verdad crees que su muerte no tiene nada que ver contigo?» Y esa voz no podía acallarla.

El taxi paró ante su piso y Honda le dio un billete de 500 yens al conductor, diciéndole sin pensar que se guardara el cambio. El conductor se quitó la gorra y le saludó, dándole las gracias efusivamente. Y, al hacerlo, memorizó la cara de aquel cliente tan extraño que le había pagado el doble de la tarifa. Acababa de nacer otro testigo, para el futuro desconsuelo de Honda.

Entró en el Meikei-So y se tumbó en la cama sin quitarse la ropa, con las manos en la nuca, mirando al techo con ojos ausentes. ¿Cómo podía pasarle algo así a él? Su vida de pescador de mujeres había transcurrido hasta ahora sin testigos. Seguramente no sería nada. ¿Una coincidencia? Intentó alejar la duda de su mente sin ningún resultado, y una idea nueva y tenebrosa empezó a rondarle... Las dos mujeres habían sido sus víctimas, «¿verdad? Las dos habían tenido relaciones sexuales con él y cada vez que cambiaba de pareja se cometía un crimen. ¿Era una epidemia? ¿Existía alguien que la transmitiera rondando la ciudad? Se aflojó la corbata, desabotonó la camisa y se hizo un masaje en el pecho. ¿Era un leproso al que se le descomponía el cuerpo poco a poco? El tacto de su musculado y velludo pecho le devolvió la confianza.

Pero, entonces... «¿Y si muere asesinada cada mujer que toco?» No, era imposible. Todo era casualidad. El azar era el culpable de que hubiesen asesinado a dos mujeres con las que había tenido relaciones íntimas. No podía existir conexión alguna. Todo era una casualidad.

Se levantó perezosamente de la cama y se cambió de ropa para volver al Toyo. En su mente resonaba una palabra, un escudo: «casualidad».

3

Durante todo el día, Ichiro Honda esperó con creciente impaciencia que salieran los periódicos de la tarde para leer que habían descubierto el cadáver de Fusako Aikawa. En su oficina del sexto piso escuchó las noticias de las tres, pero no dijeron nada al respecto. Si cuando acaeció el primer asesinato estuvo calmado y tranquilo, esta vez era todo lo contrario, quizá por haber visto el cadáver con sus propios ojos.

Apagó la radio y se acercó a la ventana. Abajo, en la calle, los coches parecían juguetes y las personas, hormigas; desde esta altura resultaba imposible distinguir hombres de mujeres. Pensó que de los millones de habitantes de la Tierra, tan sólo dos personas sabían que, en un piso de paredes desconchadas situado en Koenji, el cadáver de una mujer empezaba a descomponerse. Sólo dos personas sabían que la habían estrangulado con una media de nylon. El asesino y él. Sintió una extraña afinidad con el asesino, como si compartieran el crimen. Había un poema que hablaba de esto, pero no podía recordar dónde lo había leído. Salió a comprar los periódicos.

En el pasillo se topó con un colega del departamento general. Llevaba gafas sin montura y hablaba con tono afeminado.

—¿Cuándo sale para Osaka?

—Pasado mañana. Me gusta pasar las Navidades con mi mujer.

—Por favor, déle mis felicitaciones a su suegro.

Durante esta conversación ofreció un aspecto relajado y alegre, pero, en cuanto se fue el otro hombre, volvió a tener aspecto de preocupación y cansancio.

Compró la edición de la noche de varios periódicos, pero seguían sin hablar del asesinato.

Al salir del trabajo, recorrió toda la calle Ginza mirando escaparates hasta llegar a Shinbashi, donde se metió en una sala de juegos que en otros tiempos había sido club nocturno. Pensó que la escalera y el techo eran demasiado imponentes para un local de máquinas recreativas. Miró a su alrededor. Los jugadores pegados a las máquinas parecían ajenos al mundo y al impresionante bullicio que dominaba el lugar. Quizá pudiera hacer lo mismo. Cambió cien yens y empezó a jugar en la primera máquina libre que vio. Mientras iba jugando, se dio cuenta de que una chica de unos quince años le miraba desde detrás de la máquina. Llevaba los ojos muy pintados y parecía tener interés por él. Honda, por su parte, empezaba a aburrirse, aunque tenía el cargador lleno de bolas.

—¿Quiere jugar? —le preguntó a un hombre que observaba su juego.

Pese a su raído atuendo, el hombre tenía orgullo, y enrojeció ante lo que consideraba un insulto. Honda le ignoró y se fue dejando la máquina libre y cargada.

El asesinato no se notificó ese día ni el siguiente, pero apareció en los periódicos al tercero.

Cuando al fin lo publicaron, le provocó una fuerte conmoción. Compró todos los periódicos de la tarde y tomó el metro hasta su escondrijo en Yotsuya Sinchome. El vagón estaba hasta los topes y viajó aprisionado por los pasajeros. Cerró los ojos mientras escuchaba el traqueteo de las ruedas sobre los rieles. Los titulares que acababa de leer flotaban ante él.

«Un argelino llamado Sobra, testigo clave.»

Veía los titulares. Casi podía oler la tinta en que estaban impresos.

Al llegar a su apartamento, leyó ávidamente los periódicos, devorándolos con los ojos. Quizá fuera por haber estado en la escena del crimen, pero estaba más interesado que cuando asesinaron a la cajera. Una y otra vez volvía a aparecer la fatídica frase.

«Sobra, importante testigo.»

Sólo un periódico de menor tirada apuntaba una posible conexión entre los dos crímenes. Buscó los periódicos de dos meses antes que hablaban del otro asesinato y comparó los dos casos.

Había cuatro puntos en común.

Primero, las dos mujeres habían muerto estranguladas.

Segundo, ambas eran solteras que vivían solas.

Tercero, las víctimas parecían tener amistades masculinas íntimas.

Ésos eran los puntos en común más obvios. En ambos casos, la prensa especulaba con el hecho de que, al no existir signos de lucha, la intimidad entre el asesino y su víctima debía ser grande. No había nada más que tuviera interés.

Existía un cuarto punto en común que sólo él conocía. Ambas víctimas estaban incluidas en su «Diario del Cazador». Este detalle, desconocido por el resto del mundo, era su única conexión con los casos. ¿Qué iba a hacer ahora? Nada.

Los acontecimientos seguirían su curso normal. Mañana tomaría el avión de la noche para Osaka y, al menos por unos días, dejaría de cazar.

Con ese reconfortante pensamiento, se durmió.

LA TERCERA VÍCTIMA

15 de enero: Mitsuko Kosugi muere estrangulada en los apartamentos Midori-So del distrito XX, Asagaya, Suginami-Ku.

1

Ichiro Honda voló a Osaka la víspera de Navidad. Había solicitado vacaciones para poderse quedar hasta el día de Año Nuevo. En el aeropuerto se clavó una astilla en la mano al pasarla por una barandilla, y se hizo sangre. Restañó la sangre con un pañuelo y no se preocupó en pedirle yodo a la azafata del avión.

Abajo quedaban las luces de Tokyo. ¡Qué ciudad tan maravillosa, parecía tener vida y respirar mientras la observaba! ¿Qué le importaba a él que continuamente la gente muriera en ella, que hubiera asesinatos?

En el aeropuerto le recibió su mujer.

—Bien venido a casa —le dijo, sonriente—, ¿has tenido buen viaje?

Decidieron pasear por las bulliciosas calles de Shinsaibashi antes de cenar. Fueron a un bar donde conocían a Taneko y se hizo medianoche antes de que se dispusieran a cenar. Tenían reservada una mesa para dos, y esta Nochebuena siguieron su costumbre anual de encargar pavo y descorchar una botella de champán.

—¿Te acuerdas de la Nochebuena en Nueva York? —dijo él, brindando.

—Naturalmente. Fuimos al Très Bon.

—Cierto. ¿Bailamos? —añadió, cambiando de tema.

Taneko vestía un traje negro escotado, con una orquídea de adorno. Bailaba muy pegada a él, sin preocuparse de si aplastaba o no la flor.

—El Très Bon —recordó anhelante cuando volvieron a la mesa—. Éramos tan jóvenes y conocíamos tan poco la ciudad que tuvimos que volver allí en Nochevieja.

—Sí, es verdad.

—Y a medianoche, cuando sonaron las campanadas, todo el mundo besó al que tenía al lado aunque fuese un completo desconocido.

—Sí, muy americano, ¿verdad?

—Pero era encantador. Cómo me gustaría que volviera esa época.

Se acercó a él y su pelo le acarició el rostro. Ichiro no pudo controlar la repugnancia que le invadió y se echó atrás con rapidez. Disimuló su gesto metiendo un dedo en el cuello de la camisa y estirándolo hacia fuera.

—La lavandería del hotel sigue sin saber cómo almidonar correctamente una camisa —se disculpó.

Su mujer recuperó la postura y permaneció silenciosa. Una vez más habían topado con esa barrera sólida e invisible que parecía separarles eternamente.

—Ya no puede ser —murmuró Ichiro como hacía siempre en esas ocasiones.

Su mujer continuó silenciosa. No supo discernir si lo que brillaba en sus ojos era el reproche o la piedad.

Después de cenar, fueron de bar en bar, simulando pasarlo bien con los músicos callejeros, cantando canciones y bebiendo mucho. Antes de que se dieran cuenta dieron las tres de la madrugada y el alcohol parecía haber borrado la hostilidad existente entre ellos.

Decidieron que no era prudente conducir en su estado y dejaron el Mercedes Benz en un garaje. Caminaron cogidos del brazo hasta encontrar un taxi que aceptara llevarlos a Ashiya. Cuando atravesaron el portón de piedra se encendió la luz del porche y el ama de llaves apareció ante ellos como un fantasma.

—Bien venida a casa, señora —dijo con sus anticuados modales.

Tenía más de setenta años y estaba con ella desde que iba a la Universidad. Sus blanquecinos ojos no pestañeaban al mirarles. Había hecho el papel de madre de Taneko desde hacía mucho tiempo, e Ichiro tenía problemas para tratarla correctamente. Esta noche había utilizado la misma fórmula de cortesía que utilizó cuando volvieron casados de América.

—No tenías que habernos esperado —protestó Taneko.

El ama de llaves ignoró el comentario y se ocupó de cerrar la puerta.

Miraron en el comedor, por si el padre de Taneko seguía despierto y, al ver que no era así, subieron las escaleras en dirección a su cuarto.

Ichiro se duchó, y al salir del cuarto de baño, encontró a su mujer desmaquillándose.

—Has estado citando a Hamlet toda la noche, querido. Ya sabes, esa frase de «ser o no ser». ¿Qué querías decir con eso? —le preguntó al verle aparecer.

Ichiro miró en el espejo cómo se cepillaba el largo cabello negro.

—Nada en particular. Suelo pensar en la muerte de vez en cuando.

El pelo mojado enmarcaba su rostro, contrastando

fuertemente con la mortal palidez de la cara, produciendo una combinación de extraña belleza.

Siguió cepillándose y, al poco, volvió a preguntar con el mismo tono inexpresivo:

—¿Desde cuándo te has vuelto tan morboso?

—No lo sé...

La dio la espalda y apagó la calefacción, mientras ella se metía en el cuarto de baño. En su ausencia, se tumbó en la cama, inmóvil, con los ojos abiertos. Cuando Taneko salió llevaba una bata de color beige.

—Bueno, después de todo, no estamos divorciados, ¿verdad? —dijo, quitándosela.

Permaneció inmóvil un momento, desnuda, antes de meterse en la cama. Su cuerpo se convirtió en una silueta al pasar ante la lámpara de la mesilla de noche, que proyectó su sombra en el techo.

—Quizá sea porque somos cristianos —replicó sin moverse en voz tan baja que apenas podía oírse.

Su mujer se apoyó en la cama y estudió su perfil.

—Sabes, sigues siendo muy importante para mí. Sigo sintiendo que eres la mitad de mi ser.

El silencio dominó la estancia sin ser roto siquiera por el ruido de las respiraciones. Ichiro se levantó de la cama y miró a su mujer mientras permanecía de pie en el frío suelo. Estaba inmóvil y creyó ver sombras, bajo los cerrados párpados. Se acercó a ella apartando las sábanas y descubriendo su cuerpo blanco, pero ella siguió sin moverse. Enterró el rostro en su pubis y puso las manos en sus pechos. Continuó inmóvil. Al poco, levantó la cabeza. Su piel era suave pero no tanto como la de sus víctimas.

Pensó en el niño que nació obscenamente deforme y se interpuso entre su mujer y él. Volvió a intentarlo, besando frenéticamente los pechos, la cintura, las axilas... Se agitó espasmódicamente, pero continuó con los ojos cerrados.

Al poco, desistió y empezó a llorar. Pero ¿eran lágrimas o una risa histérica, causada por la desesperación? Una vez más volvía a ser impotente con su mujer, tal y como lo había sido una semana antes... una quincena antes... un año antes... dos años antes...

Taneko abrió los ojos y le miró en silencio. Su mirada bastaba para matar cualquier emoción.

Volvió a su lado de la cama con las manos colgándole a los lados, con la triste actitud del luchador derrotado.

2

El 5 de enero, Ichiro tomó el avión del mediodía con destino a Tokyo. Contrariamente a su costumbre, tenía asiento de ventanilla. El cielo era claro y sin nubes y, desde esa distancia, podía ver el blanco cono del monte Fuji. Mirando la inmaculada montaña que se recortaba contra el cielo azul, le resultaba imposible admitir que había asesinado a dos jóvenes a finales del pasado año. El recuerdo de Fusako Aikawa, yaciendo desnuda y muerta en la oscura y triste habitación de Koenji, seguía rondándole la cabeza. ¡Qué estúpido había sido al pensar que podían achacarle ese crimen! Temía el escándalo y no quería verse relacionado con el asunto. Eso era lo que había pasado.

De todos modos, sería mejor que, a partir de ahora, dejara de utilizar el nombre de Sobra. Tendría que cambiar el nombre del pasaporte por otro que sonara más británico, algo de sonoridad más grave y tradicional. Hume podría valer, o quizá sería mejor Wigland.

Los dos nombres estaban bien. Se dedicaría a modificar el pasaporte en sus ratos libres, igual que otros ejecutivos lo dedicaban al bricolaje.

Bueno, ya era hora de que cambiara, y le resultaba muy fácil cambiar de vida. El obsesivo miedo a que alguien estuviera tras su pista se le desvaneció de la mente. Aceptó una taza de té que le ofreció la azafata. Cerca de él, un extranjero gordo se concentraba en el crucigrama del periódico. Se sintió aislado y seguro en ese entorno constituido por el extranjero gordo, la azafata y los demás pasajeros. Empezó a pensar que estaba realmente a salvo. Todo lo que tenía que hacer era abandonar el nombre de Sobra y desaparecer toda conexión entre los asesinatos e Ichiro Honda. En el vaho de la ventanilla escribió el nombre de «Sobra» y a continuación lo borró.

Existe un juego llamado «cabezas y colas», o algo así, en el que uno utiliza la última sílaba de una palabra para empezar otra. Aunque es un juego para dos personas, Ichiro se distrajo jugando consigo mismo. Empezó con «Sobra» y siguió a partir de ahí. Jugando este juego de encadenamientos se le ocurrió otro punto en común en los asesinatos. No podían declararle culpable. Siempre había tenido coartada. Las coartadas se encadenaban, igual que las palabras del juego.

Por ejemplo, mientras asesinaban a la cajera en su piso de Kinshi-Cho, el 5 de noviembre, él estaba con Fusako Aikawa en su apartamento, situado al otro lado de la ciudad. Aunque le consideraran sospechoso estaba a salvo de que le declararan culpable, aunque no lo estaba del escándalo que surgiría por acostarse con una mujer que no era su esposa. Tenía coartada.

Y, volviendo a encadenar una cosa con la otra,

cuando estrangularon a Fusako Aikawa él estaba con la estudiante de arte. Admitamos que los dos pisos estaban más próximos esta vez, pero él estaba en ese momento en Asagaya con Mitsuko. Tenía una coartada indestructible para cada caso.

¿Indestructible? ¿No fallaba nada?

Fusako Aikawa, su coartada para el asesinato de la cajera, estaba muerta. En este caso su coartada resultaba ilusoria. Miró por la ventana, pero tan sombríos pensamientos borraban la belleza del paisaje.

Si le preguntaban dónde estaba la noche que mataron a la cajera, no tenía testigos que hablaran en su favor. ¿Por qué no se habría dado cuenta antes? Se maldijo por su estúpido entusiasmo.

Vistos bajo esa luz, los dos asesinatos estaban firmemente entrelazados. Ahora ya no pensaba en dos incidentes separados, sino en una secuencia de acontecimientos.

¿Habrían matado a Fusako Aikawa para que no tuviese coartada? En algún rincón de su mente le pareció escuchar la burlona risa del asesino. ¿Cuál era su móvil? ¿Estaba fantaseando demasiado? ¿Quién era el que más perdía con la muerte de Kimiko Tsuda?

Alguien intentaba implicarle en el asunto.

Al terminar el razonamiento lógico, se convenció de que su teoría era totalmente correcta. Habían cometido los dos asesinatos para inculparle a él. Se removió en el asiento y gruñó. El extranjero gordo levantó la vista del crucigrama y le observó con atención antes de volver al pasatiempo.

Y si fuera cierto...

Entonces, el asesino volvería a atacar para destruir su última coartada. Mataría a Mitsuko Kosigi. Era el último eslabón de la cadena.

El altavoz anunció el aterrizaje y pidió a los pasajeros que se abrocharan el cinturón. Por la ventanilla podía ver las cercanías del aeropuerto de Haneda, y aún seguía sin comprender para qué querría alguien atraparle de esa manera.

En cuanto salió de la terminal, telefoneó al apartamento de Mitsuko. La ronca voz del recepcionista le dijo que estaba pasando las fiestas en casa de su familia y que no volvería antes del día quince. Colgó el auricular y se quedó sumido en sus pensamientos un buen rato antes de coger un taxi que le llevara al Toyo.

3

La estrecha vereda que llevaba al piso de Mitsuko Kosigi no estaba iluminada, y la bordeaba una cerca que la separaba del asfalto. La oscuridad era total y la húmeda neblina reinante no ayudaba a aumentar la visibilidad. Ichiro Honda se ajustó el sombrero impermeable, se subió el cuello de la gabardina y se dirigió al callejón. Los travesaños de piedra apenas emergían del negro lodazal, y tuvo que poner cuidado en no resbalar.

Antes de entrar miró por encima de la cerca y vio luz tras las cortinas de la ventana de Mitsuko. Estaba en casa. Aliviado, abrió la puerta delantera y entró. Abrió el compartimento para zapatos que tenía el nombre de «Kosigi» y metió dentro sus Guccis. En el interior había unas zapatillas de mujer de color marrón.

Pasó por el vestíbulo. El mostrador estaba vacío y a oscuras, tal y como le dijo Mitsuko que estaría a esas horas. Giró a la izquierda y se dirigió al ancho pasillo que conducía a su habitación.

El pasillo giraba bruscamente a la izquierda antes de llegar a su puerta formando un ángulo recto, de tal manera que, si te colocabas ante ella, resultabas invisible para el resto del corredor. Nadie le vería ni le haría preguntas.

Le llegó el sonido de un televisor. Ya eran las 23,30; algún vecino estaría viendo el último programa de la noche. En el piso de arriba se oía ruido de pasos. Exceptuando estos dos sonidos, el edificio estaba en total silencio. Entró en el pasillo.

Al llegar a la puerta, llamó con los nudillos, ligeramente primero, con más fuerza después. No contestaron. Se apoyó en la alacena de las escobas, situada frente a la habitación, y pensó qué haría a continuación.

Intentó abrir la puerta y, al igual que le pasó en el apartamento de Fusako, se abrió al tocarla.

Entró y cerró la puerta tras de sí. Ante él tenía el sumidero, y a la izquierda la cortina que, sujeta a una barra, daba acceso a la habitación principal.

—¿Estás en casa? —preguntó con calculado tono dubitativo.

No le respondió nadie. Empezó a sentirse presionado y le pareció que el corazón le latía más de prisa. Por mucho que lo intentara, no podía olvidar la muerte de Fusako Aikawa. ¿Encontraría también a Mitsuko Kosigi desnuda y... muerta?

Agarró la cortina con una mano e hizo una pausa para recuperarse. Tuvo la premonición de que allí dentro sólo encontraría un cadáver, y se forzó a correr la cortina.

En la habitación no había nadie.

Pero había señales de que alguien había estado allí apenas unos minutos antes.

Entró en la habitación y se sentó en una silla girato-ria situada frente al escritorio. Miró a su alrededor. Le había telefoneado tres horas antes, apenas regresó de sus vacaciones, y le había propuesto una cita a las nueve y media en la ciudad. Se alegró de recibir su lla-mada e insistió en que fuera a su piso.

—Te prepararé unos... er, pasteles especiales de año nuevo.

No parecía muy segura de hacerle entender la palabra «mochi» en idioma inglés. Recordó su voz al ver los pasteles de arroz envueltos en periódicos encima de la mesa. Pensó que habría salido a por espe-cias, y encendió un cigarrillo para entretener la espera.

Mientras fumaba, llenando de humo la pequeña habitación, examinó todo lo que tenía a su alrededor. Era, a todas luces, la habitación de una estudiante de arte, con libros de pintura en las estanterías y lienzos apoyados en la pared. El armario estaba entreabierto, y por la abertura asomaba una falda de seda roja. No se había acostado con una mujer desde hacía un mes, y al ver la ropa de cama que también sobresalía, sintió que el deseo crecía en su interior. Bostezó e hizo que la silla girara, dando media vuelta. Crujió ruidosamente en la silenciosa habitación.

Ahora tenía ante sí un guardarropa de madera de nogal con un espejo en la puerta. Sin pensarlo se miró en el espejo. Éste le devolvió la imagen de un rostro despeinado y, a la escasa luz de la habitación, de gesto rígido y nervioso. No era un rostro muy saludable.

En ese momento vio un trozo de tela marrón que asomaba por la cerrada puerta del guardarropa. Sin pensarlo, se llevó la mano a la corbata que llevaba puesta y que no era la de seda marrón que tanto le gus-taba. Había algo familiar en esa tira de seda cinco centímetros de ancha. Parecía del mismo color que su corbata favorita.

Se levantó de un salto y se dirigió al guardarropa. Aquí había un misterio que debía resolver. ¿Qué hacía su corbata en la habitación de Mitsuko Kosigi. Alargó la mano para agarrar el pomo, pero el gesto era vacilante y falló.

Dudaba en abrir el guardarropa de otra persona sin permiso, pero, al fin y al cabo, se dijo, sólo iba a comprobar una cosa. No había nada malo en ello.

El guardarropa debía de ser nuevo y tuvo problemas para abrir la puerta. No lo consiguió hasta que hizo fuerza con todo su cuerpo. Tiró fuerte, la bisagra chirrió, la puerta se abrió y...

El cadáver de Mitsuko Kosigi cayó del armario y quedó colgando, apoyado en su cuerpo. La cogió en un acto reflejo y lo puso en pie sujetándolo, notando de paso que el cuerpo aún estaba caliente. Podía oler la fragancia de su cabello por encima del aroma medio dulce, medio agrio que había notado en la habitación de Fusako Aikawa.

Apartó la cabeza horrorizado y volvió a meter el cadáver en el guardarropa, cerrando la puerta con fuerza. Le temblaban las manos y los dientes le castañeteaban. Apenas podía respirar. Su cuerpo parecía haber echado raíces donde estaba.

—Es horrible. Es horrible —gemía.

Aún sentía en los dedos el tacto de la piel rígida de la mujer. Se restregó las manos en el pantalón, como si pudiera quitarse así la sensación.

El cadáver estaba arrodillado para que cupiera en el guardarropa, con las manos colgándole fláccidamente a los lados. ¡Y tenía su corbata alrededor del cuello! Quiso gritar, pero se le heló la voz en la garganta.

Volvió a sentarse en la silla. El cuerpo le temblaba de angustia y miedo. ¿Qué podía hacer ahora? ¿Qué podía hacer? Encendió un cigarrillo y cogió un cenicero, de manera totalmente mecánica.

¿Debía llamar a la policía? ¿Al encargado del edificio? Verse envuelto en algo así sería su ruina. Pero, si huía... ¿Qué pasaba con su corbata? Hiciera lo que hiciera, debía recuperar primero su corbata. «Estaba en mi guardarropa en Yotsuya. ¿Quién la ha traído aquí? ¿Quién se la puso al cuello? —pensaba con creciente furor—. Es algo deliberado, es otro montaje.»

¿Cómo podía liberarse de esta trampa?

No se le ocurrió pensar que cuanto más intentaba librarse de ella, más atrapado se veía.

Volvió al guardarropa y lo abrió. Esta vez, el cadáver de Mitsuko Kosigi no cayó fuera. Estaba tal y como lo había metido: la cabeza colgando en postura anormal, el pelo revuelto y las manos totalmente fláccidas.

Conteniendo las náuseas, se agachó y aflojó la corbata que le mordía el cuello. La habían anudado con fuerza, y cuando la quitó pudo ver las lívidas marcas de la estrangulación. Dobló la corbata y se la metió en el bolsillo mientras cerraba la puerta volviendo a esconder el cadáver.

Se dirigió a la salida, se detuvo y miró a su alrededor por si olvidaba algo. Volvió a detenerse cuando tocó el pomo de la puerta y volvió a mirar. No notaba nada. Se palpó la cabeza comprobando que llevaba el sombrero y, satisfecho, empujó la puerta para salir.

No se abrió.

Le subió la sangre a la cabeza y casi cayó desmayado. Tenía que abrirse, había pasado por esa puerta unos minutos antes, ¿no? Debía de estar atascada. Agarró el pomo con fuerza, lo giró y empujó con todo su peso. La madera crujió, pero no se abrió.

Estaba cerrada.

Se agachó y miró por el ojo de la cerradura. Lo único que pudo ver fue la bombilla del pasillo y la puerta del armario de las escobas. No había nadie. Se incorporó y volvió a la habitación.

«¿Por qué está cerrada? ¿Por qué está cerrada?» se preguntaba continuamente.

Se encogió en el suelo como un animal enjaulado, abrumado por la inutilidad de sus esfuerzos. Entonces, vio la ventana.

Su vía de escape.

En el exterior, se oyó el ladrido de una bocina y se sobresaltó. El chirrido de los frenos, los pasos del piso superior, el sonido del televisor, la apagada música... todo parecía atacarle los nervios. Por muy lejos que estuvieran los sonidos, ahora parecían muy cercanos. Las paredes de la habitación le aprisionaban, todo se desvanecía a su alrededor. ¡Tenía que huir!

Se encaminó a la ventana y agarró la cortina antes de darse cuenta de que podían verle. Volvió atrás y apagó la luz fijándose estúpidamente en la película de polvo que cubría la pantalla de la lámpara. Tanteando en la oscuridad, abrió la ventana.

Afuera no había nadie.

Se apoyó en los pies enfundados en calcetines y saltó al exterior. Cerró la ventana procurando no hacer ruido, notando como el húmedo y resbaladizo suelo le mojaba la planta de los pies.

Volvió al portal, atisbó el interior y abrió cuidadosamente. Se cercioró de que no le veía nadie y abrió el cajetín de los zapatos con el nombre de «Kosigi». Metió la mano en el interior.

¡Sus zapatos habían desaparecido!

Estaba seguro de haberlos metido. ¿Qué diablos podía haber pasado? Palpó todo el interior, las zapatillas seguían allí, pero sus zapatos, no. El miedo trepaba por su espina dorsal a medida que iba abriendo enloquecidamente los demás cajetines. Sus zapatos no estaban en ninguno.

Oyó que se abría una puerta en alguna parte de ese piso y se echó atrás. Olvidó los zapatos y echó a correr, saliendo de la casa y golpeándose en una piedra. El dolor era angustioso y cojeó torpemente hasta llegar a la calle principal donde paró un taxi. Afortunadamente, el conductor no se dio cuenta de que no llevaba zapatos.

Pidió que le llevara a Yotsuya Sanchome y se derrumbó en el asiento trasero. Apoyó la frente en el frío cristal de la ventanilla, sumido en la desesperación. El aullante sonido de una sirena rasgó la oscuridad del exterior. ¿Habrían descubierto ya el cadáver? ¿Habrían llamado a la policía?

Se sintió perseguido, y se hundió aún más en el asiento. El taxista aminoró la marcha a medida que la sirena se acercaba más y más, y les pasó de largo con un impresionante despliegue de luces.

—Debe de haber fuego en alguna parte —le dijo el taxista a Honda, que suspiró aliviado al ver que se trataba de un coche de bomberos, y no de la policía.

Hizo que el taxi se detuviera antes de llegar al Meikei-So. No quería que recordara la dirección. Estaba volviéndose cauto.

Tuvo que caminar un centenar de metros con sólo los calcetines y se le empaparon los pies. El dedo gordo estaba hinchándose, y el dolor le dificultaba el paso. Cuando llegó a su habitación, se quitó los embarrados calcetines, uno de ellos manchado de sangre, y descubrió que se había roto la uña por la mitad. Se vendó el pie con un pañuelo y se masajeó el dedo.

Tenía que comprobar lo de su corbata. La sacó del bolsillo, la examinó y la tiró al suelo, como si fuera una serpiente venenosa. Tenía iniciales bordadas, y eran las suyas.

Esperando que se tratase de una casualidad entre un millón y resultara estar en un error, examinó su propio guardarropa. Quizá siguiera allí y esa corbata fuera de otra persona con las mismas iniciales... Notó un dolor ardiente en la mejilla izquierda y se tambaleó hacia atrás. Parecía que le hubieran clavado una aguja al rojo. Por un instante, todo se le volvió negro; y, entonces, se tocó la mejilla. Estaba sangrando. Miró al suelo. A sus pies había un delgado estilete sujeto a una vara de bambú. Habían puesto una trampa en el armario.

Alrededor de diez corbatas se agitaban burlonamente en la percha, y la marrón no estaba entre ellas. Se le llenaron los ojos de lágrimas. El tormento y el dolor habían convertido al don Juan en un niño llorón. Apretándose la mejilla con una mano, se tambaleó hasta el escritorio. El diario, que siempre tenía un pisapapeles encima, había desaparecido.

Se derrumbó boca abajo en la cama. Cuando se intentó mover al cabo de unos minutos, por un terrible y espantoso momento, no pudo ver nada y creyó haberse quedado ciego.

4

La mañana del 25 de enero, once días después de que huyera del piso de Mitsuko Kosigi, Ichiro Honda fue arrestado bajo la acusación de asesinato. La policía se presentó en la habitación 305 del hotel Toyo y se lo llevó.

La policía pudo seguir el rastro del hombre conocido como Sobra gracias a los zapatos manufacturados en Italia que aparecieron en el escenario del crimen. Eran unos zapatos muy especiales, y fue sencillo localizar a su propietario. Nunca había pensado en eso, y jamás se le ocurrió acudir a la policía a contarlo todo.

Desde el último asesinato había perdido toda iniciativa, y se limitaba a esperar lo que pudiera sucederle a continuación. Era como un insecto sin alas. Lo único que hizo en todo ese tiempo fue volver al Meikei-So tres días después. Le preocupaba que el taxista recordara la dirección, y esto acabó siendo la menor de sus preocupaciones. Descubrió, al entrar en su piso, que alguien se le había adelantado para quitar la trampa del bambú con el cuchillo en la punta. No se sorprendió, y siguió adelante con sus intenciones. Metió sus pertenencias en una bolsa e informó al encargado de que se iba y quería liquidar la cuenta.

Ató con cuerdas la bolsa y la envió a casa de sus padres, en Kagoshima, por vía férrea.

Todos los días, camino del trabajo, seguía el caso en la prensa. La policía buscaba a Sobra, lo que estaba bien porque nunca podrían identificarle con él. Su principal temor seguía siendo que le mezclaran en el asunto. Temía el escándalo en que se vería envuelto. De todos modos, se decía, no podía pasarle nada de eso.

Ya no salía por las noches. Se pasaba el tiempo tumbado en su habitación esperando que el asunto concluyera. Cuando dormía le invadían pesadillas en las que un peso enorme le aplastaba, y siempre se despertaba gritando y empapado de sudor frío.

Se enteraba de los progresos de la investigación comprando todos los periódicos y escuchando la radio cada vez que podía. Los periódicos publicaron que todos los crímenes habían sido cometidos por la misma persona. El día veintidós vio un programa de televisión en el que entrevistaban al encargado del caso, un hombre de cabello ralo y mirada desconfiada en los ojos. Poco podía pensar que, unos días más tarde, tendría a ese mismo hombre frente a él en la sala de interrogatorios. El policía dijo que el criminal había dejado en el lugar del crimen una pista vital, y que su arresto era cuestión de días. Quizá no fuera mañana, pero sería pasado mañana, o al otro. El mañana es algo que no llega nunca, pensó Honda desdeñosamente.

Pero llegó el día en que le despertó una llamada a la puerta de su habitación, y ésta se abrió para dejar paso a tres hombres, uno de ellos con una orden de arresto. Le agarraron, le esposaron como a un animal y le metieron en un coche.

Sentado en el coche que se dirigía a la comisaría, con un policía sujetándole cada brazo, no pudo por menos que recordar con nostalgia aquella mañana de noviembre en que le despertó alguien que caminaba en zapatillas por el pasillo del hotel. Fue el día del primer asesinato, cuando la suerte empezó a acabársele. ¿Qué había sido de la dulce libertad que disfrutaba entonces?

Los policías que tenía a los lados expelían olor a salmón ahumado y a sopa de guisantes con cebollitas. Olores domésticos que hablaban de paz y quietud hogareñas.

El interrogatorio duró veinte días, durante los cuales sólo pudo negar su culpabilidad. Empezó a preguntarse si estaba volviéndose loco. No quiso ver a nadie, ni siquiera a un abogado. La táctica de la policía no fue la acostumbrada de instarle a confesar. En su lugar acumularon más y más evidencias ante él y le preguntaban cómo era posible que negara ser culpable. Era una tortura psicológica que le impedía defenderse. Todas sus coartadas eran inútiles e inverificables.

Le preguntaron que dónde había dejado sus zapatos italianos, y cuando respondió que desaparecieron del cajetín de la entrada se rieron de él, diciéndole que habían aparecido envueltos en periódicos en el armario de Mitsuko Kosigi y que sólo tenían sus huellas digitales junto con las de ella.

Consiguieron su chaqueta de casa de sus padres, y de los bolsillos sacaron la corbata, junto con una media de nylon y una llave. Recordaba la corbata, pero no tenía recuerdo consciente de poseer la media utilizada en el asesinato de Fusako Aikawa, o la llave del piso de Mitsuko Kosigi.

Empezó a pensar que quizá, después de todo, era culpable, que quizás había cometido los crímenes sin ser consciente de ello.

Más tarde le dijeron que habían encontrado sangre de su tipo en los cuerpos de las mujeres, pese a insistir que había estado en sus pisos muy poco tiempo. La evidencia apuntaba a que había estado el suficiente para mantener intercambio carnal con sus víctimas.

Tenía un grupo sanguíneo muy raro que coincidía con el de una mancha de sangre localizada en uno de los lugares del crimen: AB Rhesus negativo. Sólo lo tenía una persona de cada dos mil, y él era una de ellas. No supo qué decir.

Y volvió a encerrarse en el silencio, sin reaccionar a nada de lo que le dijeran o mostraran. Cuando quedó emplazado a juicio, se pasaba el tiempo sentado en su celda, mirando al vacío, preguntándose, una y otra vez, «quién ha sido? ¿Quién ha sido?».

Pronto dejó de repetirse la pregunta, porque, en el fondo de su corazón, sabía que jamás conocería la respuesta.

INTERLUDIO

Ichiro Honda, ingeniero, veintinueve años de edad, fue condenado a muerte el 30 de junio en el juzgado del distrito de Tokyo, acusado de asesinato con implicaciones sexuales. Sus abogados negaron los cargos.

De la acusación de asesinato a Kimiko Tsuda el 5 de noviembre fue considerado inocente por insuficiencia de pruebas.

De la acusación de asesinato a Fusako Aikawa el 19 de diciembre y de la acusación de asesinato a Mitsuko Kosigi el 15 de enero, fue considerado culpable.

En ninguno de los casos había circunstancias atenuantes.

El veredicto se falló 156 días después del arresto del acusado en su habitación del hotel Toyo.

El abogado cursó inmediatamente una apelación al Tribunal Supremo, alegando un veredicto erróneo.

Pruebas importantes sobre las que testificaron los expertos de la acusación:

Un par de zapatos de tacón bajo de manufactura italiana dejados por el acusado en la habitación de Mitsuko Kosigi.

Una corbata de color marrón cuyo tamaño correspondía exactamente con las marcas de estrangulación dejadas en el cuello de Mitsuko Kosigi.

Una media de mujer similar, según los expertos, a la utilizada para estrangular a Fusako Aikawa.

Transcripción parcial del tercer día de juicio:

Interrogatorio del fiscal del Estado al médico forense.

Pregunta: ¿Existe alguna evidencia que demuestre que la víctima, Mitsuko Kosigi, luchó con su asesino?

Respuesta: La única evidencia de este hecho la constituye la presencia de sangre en las uñas de todos sus dedos a excepción de los pulgares y el dedo meñique de la mano izquierda. La sangre estaba muy en el interior de las uñas.

Pregunta: ¿De qué tipo era la sangre?

Respuesta: AB, tipo Rhesus negativo.

Pregunta: ¿De qué tipo era la sangre de la víctima?

Respuesta: Tipo cero.

Pregunta: ¿Confirma, entonces, que la sangre hallada en las uñas de la víctima no podía, en ningún caso, ser suya?

Respuesta: Sí, lo confirmo.

Preguntas del juez al acusado:

Pregunta: ¿Cuál es su tipo sanguíneo?

Respuesta: AB Rhesus negativo.

Pregunta: ¿Cuándo supo que ése era su tipo?
Respuesta: Al ingresar en la Asia Moral University me hicieron pruebas para el Instituto de Biología.

Preguntas del juez al oficial que realizó el arresto.
Pregunta: Cuando registró al acusado en el transcurso de su detención, ¿notó marcas de arañazos u otra herida reciente?
Respuesta: No llevaba orden de hacerle un registro físico completo y no pude comprobar nada de eso, pero tenía heridas en la mejilla izquierda y en la mano derecha.

El juez destacó los siguientes puntos de entre la evidencia presentada:

1. ¿Había o no había evidencia de heridas en el cuerpo del acusado y que pudieran haberse originado en, o antes de, el 15 de Enero.
Había tales heridas.
2. ¿Qué tipo de sangre tiene el acusado?
AB Rhesus negativo.
3. ¿Qué tipo de sangre se detectó en el semen del acusado?
Secreción de tipo AB.

El ministerio fiscal presentó testigos localizados en el transcurso de una investigación de treinta y cinco hombres-día. Entre los testigos pueden citarse:

Un recepcionista de hotel que testificó que,

el día que se cometió uno de los crímenes, Ichiro Honda volvió al hotel muy de madrugada.

Un policía de a pie que afirmó haber visto al acusado en las cercanías del piso de Fusako Aikawa a las horas en que se supone que fue cometido el asesinato.

Dos conductores de taxi. Cada uno de ellos juró haber llevado a Ichiro Honda hasta las proximidades de Yotsuya Sinchome en las horas de madrugada de los días que se cometieron los crímenes.

El encargado del Meikei-So, que declaró haber tenido a Ichiro Honda como inquilino.

Amigos de Fusako Aikawa y Mitsuko Kosigi que proporcionaron información sobre las relaciones existentes entre el acusado y las asesinadas.

Hubo más testigos.

Pero, lo más destacable fue que el acusado fue incapaz de presentar un solo testigo que apoyara sus coartadas...

Segunda parte

LOS ABOGADOS

1

Hajime Shinji se levantó apresuradamente del colchón y el edredón que utilizaba como cama en el suelo, y se puso una camisa con el cuello sucio. Sin pararse a elegir, cogió la corbata que tenía más cerca y se la anudó. Se lavó con la misma rutina descuidada y, en unos minutos, salía del piso, dejando la cama sin hacer. Tenía un periódico en el buzón; sin mirarlo siquiera, enrolló las páginas, que aún olían a tinta fresca, y se lo metió en un bolsillo mientras corría por la calle.

Ésta venía a ser la rutina diaria de Hajime Shinji desde que se graduó en la escuela de derecho de Regal y empezó a trabajar en el gabinete legalista Hatanaka.

En la estación compró dos botellas de leche que se bebió mientras esperaba el metro. Cuando llegó se deslizó entre la multitud, haciéndose sitio en el atestado vagón.

Shinji no era muy alto, apenas metro sesenta, pero su atezado rostro y su cuerpo bien formado le proporcionaban aspecto de intrépido. La principal preocupación que tenía estos días era que empezaba a perder interés en el trabajo que tanto le había fascinado cuando empezó como empleado en el gabinete legalista. Su curiosidad empezaba a embotarse y todo lo que hacía le parecía rutinario y sin sentido. Los juzgados, que en un pasado le atraían como representaciones de la solemnidad legislativa, le parecían ahora grises edificios donde se repetían continuamente las mismas futiles argumentaciones. Hajime Shinji estaba aburrido.

El jefe del gabinete en el que trabajaba era Kentaro Hatanaka, una figura importante de la profesión. Durante dos temporadas había sido presidente de la asociación de abogados, y se le conocía por los artículos que escribía para numerosas revistas. Había salvado a mucha gente de la pena de muerte, y era muy solicitado para hacer apelaciones. Pero también tenía enemigos. Le acusaban de buscar publicidad o de utilizar su reputación para quitarles los clientes a sus colegas. Sus detractores le reprochaban, también, que sólo aceptara casos en los que la victoria parecía segura. Y, lo que es peor, sus colegas criticaban que se encargara de casos en los que resultaba evidente que el defendido no podría pagar la factura. Esto último era considerado una forma de autopromoción especialmente censurable.

Shinji no tenía paciencia con semejante forma de ver las cosas. El motivo principal por el que había empezado a trabajar para Hatanaka había sido el profundo respeto que le causaba ese viejo honrado que estaba solo en el mundo, sin mujer o hijos, ese humanista cuya vida parecía girar en torno a los juicios, que se dedicaba a todo con tal intensidad que resultaba evidente que creía en lo que estaba haciendo.

Pese a su respeto por Hatanaka, la vida de Shinji, últimamente, carecía de interés. Siempre había querido ser juez en vez de abogado. Ése había sido el sueño que le había mantenido en pie a lo largo de las clases nocturnas del Instituto Regal, después de un día de agotador trabajo como empleado de un almacén. Cuando decidió acortar sus años de estudio y eligió la carrera de abogado, en vez de la de juez, se sintió culpable. Pensaba que había fallado a la sociedad por comodidad propia. Este sentimiento seguía rondándole todavía.

Sabía qué un abogado debía estar orgulloso de su profesión. Pero, ¿qué finalidad tenía una vida como defensor público de casos tan triviales? Su trabajo era defender a chorizos, carteristas y locos que prendían fuego a los botes de basura y a los que se acusaba de incendio premeditado. Una vez tuvo un caso en el que un adolescente había amenazado al conductor de un taxi con un arma blanca para robarle la principesca suma de dos mil yens. Su gran ambición era encargarse de un caso de dramáticas proporciones, donde el amor y el odio se entrelazaran, y poco a poco había terminado por apercibirse de que, en la vida real, no existían esos casos para él.

Inmerso en esas reflexiones solía acudir todos los días al trabajo, pero el día de hoy sería distinto porque el gabinete legalista Hatanaka había aceptado encargarse de la apelación de Ichiro Honda.

Una semana más tarde, Hatanaka mandó llamar a Shinji. Éste encontró a su jefe acomodado en un confortable sillón de cuero y fumando un enorme cigarro habano.

—Siéntese. Sí, ahí está bien. Ha leído los informes del caso Honda, ¿verdad?

—Sí, señor. Incluso asistí a una de las vistas, porque el encargado de la defensa, el señor Wada, fue maestro mío en la escuela de derecho.

—¿Ah, sí? Muy bien. Wada va a ayudarnos a preparar la apelación. A su manera, es un hombre inteligente. Tal vez excesivamente rígido, ¿no cree? Demasiado precavido. Tampoco es muy imaginativo. Pero, bueno, no voy a pedirle que opine sobre su maestro.

El viejo calló un momento y sus ojos saltones miraron fijamente el creciente humo del cigarro antes de retomar la palabra.

—¿Qué opina del caso Honda?

Shinji se había fijado en Honda cuando estaba en el banquillo de los acusados. Le mostraba constantemente el perfil, y, a decir verdad, no sintió ningún interés por este hombre que había permanecido siempre con la mirada baja, mientras el fiscal peroraba sobre cómo había estrangulado a las mujeres para satisfacer sus anormales instintos sexuales.

—Bueno, tengo la impresión de que aunque Honda es un hombre de voluntad débil, podría haber sido capaz de cometer los crímenes a sangre fría que se le imputan.

Había elegido cuidadosamente las palabras, y el viejo abogado sonrió al darse cuenta.

—Sí, me atrevería a decir que tiene razón. Pero, de todos modos, no me satisface. Algo no encaja. El asesinato no cuadra con la imagen que tengo del acusado.

Hizo una pausa y prosiguió.

—Considérelo de esta manera: sabemos que Honda era un don Juan. ¿Por qué, entonces, se convirtió en un monstruo sólo con esas tres mujeres? Con tantas víctimas de su encanto sexual, ¿por qué sólo con esas tres? Me pregunto si lo intentó con las demás y no pudo hacerlo. Si es un pervertido, ¿tendrá, entonces, otros intentos fallidos? ¿Habrá intentado estrangular a otras mujeres sin conseguirlo?

—No creo que la policía investigara mucho ese punto. Su trabajo es el de reunir pruebas, supongo. Pero estoy de acuerdo en que deberían haber investigado con las otras mujeres con las que se ha relacionado. Supongo que no querrían testificar por motivos obvios.

—Sí, así que tengo un trabajito para usted. Quiero que contacte con las otras novias de Honda y vea si averigua algo.

Hatanaka miró interrogativamente a Shinji, mientras formaba un anillo con el humo del cigarrillo.

—¿Y cómo voy a poder localizarlas?

—Será bastante fácil. Tengo aquí una lista. Wada contrató una agencia de detectives para seguir el rastro a todas. Naturalmente, es sólo una pequeña parte de las mujeres con las que se ha acostado, pero servirá para empezar. Averigüe si se comportaba de manera violenta o amenazadora con ellas.

Le pasó la lista por encima del escritorio y Shinji la estudió. Incluía breves biografías con los nombres y mapas para ir a sus pisos y lugares de trabajo.

—Parece ser que son las que recuerda con más claridad. Hay muchas más, pero estaban reseñadas en su «Diario del Cazador» y se lo robaron del apartamento.

—¿Su «Diario del cazador»?

El viejo se lo explicó.

—¿Y usted cree que mantenía un diario semejante?

—Bueno, si es así y lo encontramos, puede ser vital para el caso. De momento, concéntrese en las mujeres que tenemos y manténgame informado.

Desvió la vista y la posó en los documentos que tenía sobre el escritorio, como señal de despedida.

A lo largo de la semana siguiente, Shinji se dedicó a la tarea que le había encomendado Hatanaka en todos los ratos libres que le dejaban sus casos habituales. No sólo era un gran caso para sus estándares habituales: tenía, además, un interés personal en el asunto. En la lista de conquistas de Honda, cinco mujeres, había reconocido un nombre. Éste y la biografía coincidían. Pertenecían a la empleada de una biblioteca que Shinji había conocido en la escuela de derecho.

La coincidencia le pareció irónica y divertida, y, en cierto modo, ¿no habría también algo de predestinación?

2

Shinji decidió encargarse primero de las mujeres difíciles, las que se habían negado a hablar con la policía. Se sentía como un niño que deja lo mejor del plato para el final. Como esperaba, no sacó en limpio nada de esas dos. En uno de los casos fue a un moderno edificio de apartamentos situado en Meguro y le recibió una mujer que mecía un bebé en los brazos. Le echó con furia, tratándole como si fuera un vendedor a domicilio o algo parecido. No era muy sorprendente. ¿Qué mujer casada iba a poner en peligro su situación hablando de sus relaciones con un asesino convicto?

La tercera mujer de la lista era la señorita Kyoko Matsuda, de diecinueve años, empleada en una cafetería de Shinjuku. Decidió dejarse caer por allí de camino a la oficina.

Al llegar, descubrió que la tienda estaba situada bajo un puente por el que pasaba el expreso Koshu

Kaido. Era una zona de baja estofa en la que abundaban los borrachos. El neón del establecimiento y los carteles indicativos ofrecían un aspecto polvoriento a la fuerte luz del día. En el exterior del local destacaba un cartel: «Abrimos todas las mañanas. Café y tostadas.» Entró. Como imaginaba, apenas había clientes a aquella hora del día; el único que había estaba enfrascado leyendo las apuestas de carreras.

—¿Está la señorita Kyoko Matsuda?

—Ha salido a desayunar ahí enfrente —le respondió la cajera del local señalando un restaurante situado al otro lado de la calle.

—¿Puede decirme cómo va vestida?

La mujer le miró con suspicacia, formando un gesto que quebró la gruesa capa de maquillaje de la cara.

—Lleva una chaqueta de lana amarilla —le dijo desfrunciendo el ceño.

Shinji le dio las gracias y abandonó el local.

El restaurante que le había indicado era ancho y bajo, y le recordaba una anguila estirada. Los anchos ventanales tenían un escaparate realizado a base de modelos de cera de diversas comidas: guisantes cocidos en miel y pasta de judías dulce, sopa adzuki con pastel de arroz, rollos de arroz, algunos platos de comida china, cerdo agridulce... Empujó la puerta y entró.

La mayoría de los clientes eran mujeres. No se veía un solo hombre, pero identificó en seguida a Kyoko Matsuda en la chica que comía en la mesa situada frente a la entrada. Se sentó frente a ella.

—Perdone si la molesto —dijo, enseñando su tarjeta.

—No se preocupe —respondió ella alegremente, sin dejar de manejar los palillos.

Shinji vislumbró un rayo de esperanza.

Apareció la camarera como por ensalmo y le presentó el menú. Tenía que pedir algo y señaló, sin pensar, una comida llamada Tokoroten, una comida ácida a base de compota de algas sazonada con picante. Lamentó demasiado tarde haber pedido un plato tan excéntrico que, además, solían consumir con más frecuencia las mujeres que los hombres. Kyoko levantó la mirada sonriendo.

—¡Debe de estar delicioso! Yo también quiero uno —dijo entregándole el cuenco vacío a la camarera.

Cuando la camarera les dejó solos, Shinji sonrió con gesto torcido.

—Tengo entendido que fue amiga de Ichiro Honda.

—Sí. Hace cosa de un año.

—¿Le conoció en la tienda?

—Oh, no. Estaba sentado a mi lado en un cine. Allí fue donde le conocí. Me dijo que era americano mixto de japoneses, y, como mi tía vive en San Francisco, empezamos a conversar. Lo encontré interesante y tuvimos a la vez la misma idea de salir a la calle y recorrer juntos la ciudad. Fuimos a un bar que conocía yo y estuvimos bebiendo unos gin-fizz. Bebimos un montón de ellos —añadió con una risita.

—¿Y qué más?

Se concentró en la comida un momento, removiendo mucho los palillos en el cuenco.

—Y nada más. Nos dimos las buenas noches y me fui a casa.

Shinji maldijo la poca fuerza de su interrogatorio. Tendría que hacerlo mucho mejor. ¿Cómo conseguiría las respuestas que buscaba si seguía preguntando de esa manera?

La camarera trajo los dos Tokoroten y Kyoko se dedicó afanosamente al suyo. Shinji intentó hacer lo mismo, pero el primer bocado tenía mucho picante y le atacó el paladar.

Volvió a intentarlo, y decidió ser más rudo esta vez.

—Naturalmente, se hicieron amantes. Dígame, entonces, si piensa que tiene costumbres anormales, tal y como sugieren los periódicos.

Se encogió de hombros y se le dilataron las ventanas de la nariz.

—Me está preguntando lo mismo que me preguntó la policía el otro día, que si intentó estrangularme.

—¿Y?

—Por supuesto que no. ¿Quién se piensa que es? ¿Un pervertido o algo así? Era muy apasionado. El hombre más apasionado que he conocido —añadió dándose importancia.

—¿Le llevó a su casa?

—¿A mi casa? Debe estar de broma. Mi edificio de apartamentos está lleno de familias respetables, de las que disfrutan espiando a una chica que trabaja.

—Ya, me doy cuenta. ¿Cuántas veces se vieron?

—No sé. Unas diez veces. Lo he olvidado.

Shinji sonrió en su interior. ¡Una historia muy bonita! Honda nunca se acostaba con sus mujeres más de una o dos veces, cansándose de ellas rápidamente y buscando otra a continuación. La chica estaba vanagloriándose, o disimulando un orgullo herido.

Kyoko terminó su Tokoroten.

—¿Quiere pagar lo mío? Tengo que irme. Si quiere alguna cosa más, venga a verme a la tienda —dijo, levantándose sin más ceremonia y marchándose.

Ni una pregunta sobre Honda. No había sido más que otro accidente sin importancia en su vida. Shinji dejó unas monedas en la mesa y salió fuera.

En el exterior, el sol caía con más fuerza que nunca.

Al día siguiente, Shinji visitó a las dos mujeres que quedaban. Primero a la cantante que trabajaba en un club nocturno de Ginza. Antes de presentarse allí, llamó por teléfono para saber a qué hora empezaba el espectáculo y, de esta manera, se presentó en el Salón de O a las tres del mediodía. Pasó ante un póster que tenía impreso el nombre de la mujer que venía a ver, y pagó ciento cincuenta yens por una entrada con derecho a consumición. El resto de lo que bebiera tendría que pagarlo al precio de ciento cincuenta yens cada bebida.

Entró en el local. Estaba totalmente oscuro, y sólo un foco iluminaba a la mujer del escenario, que parecía susurrar más que cantar ante un micrófono que agarraba como si fuera un amante. Shinji se sentó muy atrás para oír la canción que entonaba la mujer que había venido a ver.

La canción finalizó y la mujer extendió los brazos hacia adelante como para abrazar el micrófono. Se apagó la luz del escenario al tiempo que se encendían las del local.

Como esperaba, había pocos clientes a aquella hora del día. Mejor. Llamó al camarero y le pidió que felicitara a Shoko Toda al tiempo que le pasaba una tarjeta de visita.

Pasaron unos minutos antes de que apareciera ante él una escultural mujer envuelta en un traje de satén negro, sosteniendo su tarjeta en la mano como si fuera un amuleto. Se presentó de la manera más correcta posible y preguntó en qué podía servir al abogado Shinji.

La breve biografía que le proporcionó la agencia de

detectives decía que tenía veintisiete años, pero parecía mucho mayor. Shinji le indicó un asiento.

—Me encargo de la defensa de Ichiro Honda. ¿Podría hablarme de él, por favor?

La mujer asintió, diciéndole que era algo que debían hablar sin que nadie les interrumpiera, y le llevó a una mesa situada en un rincón más discreto. Encargaron las bebidas y Shinji empezó su interrogatorio.

—Por favor, dígame si en el tiempo que le conoció notó algo anormal en Ichiro Honda —dijo mirándole a la cara e intentando causar una impresión lo más profesional posible.

—Imagino que lo que quiere preguntarme realmente es si intentó estrangularme alguna vez.

Lo dijo como si ya le hubieran hecho esa pregunta, estuviera preparada para ella y, por tanto, comprendiera la importancia de la respuesta.

—Da la impresión de que la policía ya le ha hecho la misma pregunta ¿Acierto? ¿La interrogaron a ese respecto?

—¿Interrogarme? Me obligaron a que les respondiera —replicó cínicamente la mujer—. Me preguntaban una y otra vez: «¿Qué clase de relación mantenía usted con Ichiro Honda?» Se lo juro. ¿Qué clase de relación...?» Una manera muy poco delicada de preguntar las cosas, ¿no cree? Me pusieron furiosa, quería escupirles a la cara. La relación entre un hombre y una mujer es algo demasiado difícil de resumir. Lo que pasa entre ellos cuando están en la cama y tal. ¿Qué le importa eso a la policía? Y seguían haciéndome esa maldita pregunta de «¿Qué clase de relación...?» Es una pregunta típica de interrogatorio. ¿Cómo puede responder una a semejante pregunta en pocas palabras? La relación entre un hombre y una mujer no es algo tan simple. Y así se lo dije.

La mujer hizo una pausa y tomó un cigarrillo de su pitillera. Le quitó el filtro y lo puso en una boquilla. Lo encendió y continuó hablando.

—Así que estuvimos dando palos de ciego durante un buen rato, hasta que me di cuenta de que lo único que querían saber era si Ichiro Honda se había comportado de manera extraña o anormal. Me resultó evidente que esperaban que les dijera que me había puesto una corbata en el cuello e intentó estrangularme cuando hacíamos el amor. ¡Esa policía! Son una raza aparte, con sus mentes cuadriculadas. Para ellos, lady Chaterley, o el marqués de Sade no son más que pornografía.

Su monólogo adquirió grandilocuencia a medida que hablaba.

—Yo soy actriz, o al menos vivo mi vida en el escenario. Nada me gustaría más que hacer el papel de la mujer de Otelo si mi público me lo pidiera. Muy a mi pesar, tengo que reconocer que no encontré en Ichiro Honda gustos tan elevados y especiales. Era un hombre corriente.

—¿Quiere decir que no había nada anormal en él?

—Si considera que el sexo en sí mismo no es anormal, en los demás aspectos era normal. —El cinismo volvía a traspasar la máscara.

—¿Cómo le conoció?

—Bueno, esas cosas las da la oportunidad. Me sentía sola, necesitaba hablar con alguien e imagino que a él le pasaría lo mismo. De todos modos, su seducción funcionaba como si estuviéramos bailando. Él me llevaba y yo le seguía. Todo se desarrolló con mucha suavidad. ¿Sabe lo que me regaló? ¡Una sombrilla de papel con el dibujo de una diana! Muy original, ¿verdad? Eso atrae a una mujer, ¿sabe? Y esa voz tan suave... tan dulce, tan cálida, tan profunda. Además, parecía tener la sangre mezclada. Era muy romántico. Y me dijo que se dedicaba a importar películas de televisión, lo que también me pareció muy romántico.

—¿Cuántas veces se vieron?

—¡Oh, sólo una vez! Sí, esa vez sólo. —Y rompió a reír repentinamente.

Un hombre cruzó el local y se reunió con ellos. Llevaba pantalones ajustados y el pelo rizado artificialmente. Era el pianista.

—El camarero me ha dicho que usted es el abogado de Ichiro Honda. Me gustaría hacerle una visita en la cárcel, ¿usted me lo podría arreglar? Le recompensaría bien —la voz y los gestos del hombre eran afeminados, y Shinji sintió un súbito ramalazo de repugnancia cuando le puso la mano en el hombro. Se preguntó si le estaría tomando el pelo, pero el tipo parecía hablar completamente en serio. Ignorándole, Shinji se levantó y se dirigió a Shoko Toda.

—Bueno, muchas gracias por atenderme. ¿Me permite una última pregunta? ¿Cree que Honda es un asesino y un pervertido?

La mujer se quitó la boquilla de los labios antes de responder.

—Debo de ser la única persona que cree en sus protestas de inocencia.

Se calló y empezó a tararear una melodía con mirada soñadora en los ojos, como si rememorara dulces recuerdos.

Hajime Shinji bajó las escaleras y tomó aliento antes de volver a la calle. Fue como abandonar un mundo cuyos habitantes parecían temer la luz del día. Tomó el metro en la estación de Nishi Ginza y se dirigió a Shinjuku. En los túneles le asaltó un deseo repentino de desviarse hasta Yotsuza Sinchome, donde recordaba que Honda tenía su guarida.

Hizo memoria intentando recordar el juicio, en concreto el interrogatorio del fiscal referente a su piso secreto. Según el fiscal, mantenía este piso con el vestuario para cometer sus crímenes con más impugnidad, e improvisó a partir de ahí, con retórica cada vez más rimbombante y anticuada, la forma de pensar del criminal. El recuerdo le hizo sonreír. Para él, los motivos de Honda eran diáfanos como el cristal: la profesión de ingeniero es una de las más respetables, obliga a vestir de acuerdo a ella. ¿Qué más lógico que un sitio como éste para cambiarse y recorrer las calles con ropa más vulgar?

Tal y como habló el fiscal, todo lo que pudo decir Honda fue que lo utilizaba «para descansar», en respuesta a la oleada de acusaciones y preguntas. El comportamiento de Honda era el de un hombre que se ha perdido y no quiere decir ya nada, lo que provocaba una mala impresión en el juez, pese a los intentos de la defensa de justificar los cambios de ropa diciendo que eran inocuos, y que lo único que el acusado buscaba con ello era una sensación de libertad. ¿Cómo podría convencerse todo el mundo de que la libertad que buscaba Honda era la de poder seducir mujeres? Shinji se hundió aún más en su asiento, reflexionando que no era tanto la ley como la moral lo que había apuntado sus cañones contra Ichiro Honda. ¿Qué le quedaba a la defensa, con la moral del lado de la acusación?

Cuando el abogado habló del diario de Honda, de

su desaparición, y de la trampa que le habían puesto en el armario, todo lo que consiguió fue incredulidad y risas mal disimuladas.

Shinji decidió obedecer a su instinto y acercarse a la guarida de Honda, para lo que se bajó en la estación del barrio y llamó desde el teléfono público de un estanco. Llamó a la oficina del señor Wada preguntando la dirección exacta. El empleado que le atendió le hizo esperar un buen rato. Resultaba evidente que ahora que no tenían el caso en exclusiva habían perdido algo de interés en el asunto.

Mientras esperaba el sol caía de pleno sobre Shinji. Por fin, oyó al empleado moverse al otro lado del teléfono y darle, entre gruñidos, las instrucciones necesarias para llegar al Meikei-So. Parecía fácil.

—Tuerza a la izquierda a la altura de la tienda de sushi y camine quince metros. ¿Eso es todo?

Shinji apuntó atropelladamente los datos que le daban en una libreta que tenía junto al teléfono. Parecía que sólo iba a ser un paseo de diez minutos. Echó a andar por la calle. Era una zona tranquila; los edificios que rodeaban el Meikei-So eran una sucursal de la telefónica, una maderería y otros por el estilo.

El edificio, de dos pisos, tenía la fachada de cemento sin pintar; un lugar bastante sencillo. Había una escalera que ascendía por el exterior y daba a un pasillo interior. Cualquiera podría ir y venir sin problemas. «Perfecto para un escondrijo», pensó Shinji.

La puerta que hacía esquina en el primer piso tenía un letrero que indicaba que allí vivía el encargado. Llamó a la puerta y le recibió una mujer que, nada más verle, se dio la vuelta y gritó: «¡Querido!», antes de hacerle pasar.

El encargado era un hombre de unos cuarenta años,

de rostro pálido y ojeroso, que parecía dedicarse a la sastrería en sus ratos libres, a juzgar por la cinta métrica que le colgaba del cuello. Le enseñó su tarjeta y preguntó si podía ver el piso del señor Honda.

—Se refiere a la habitación del señor Ueda. Está tal y como la dejó.

—¿Aún no la ha alquilado?

—Bueno, cuando pasó todo, el dueño no sabía qué hacer con él, pero recibió una carta de la familia del señor Ueda diciendo que querían conservar el lugar tal y como estaba hasta que se resolviera el asunto.

Notó que el encargado seguía llamándole señor Ueda, el nombre falso con el que había alquilado el apartamento. Preguntó si podía ver el sitio, y el encargado asintió rápidamente; se puso unas sandalias y cogió un manojo de llaves.

—Habitualmente estoy pegado a mi máquina de coser todo el día, por lo que doy por bien venida cualquier oportunidad de romper la monotonía —le dijo a Shinji mientras subían las escaleras.

Se detuvieron ante una puerta y la abrió. El ambiente olía a moho.

Había una cama de hierro, un guardarropa, una mesa de madera y dos sillas. El encargado abrió la ventana con dificultad.

—Debería abrirla más a menudo para que se aireara.

—¿Tenía visitas?

—Nunca, que yo recuerde. Al principio me parecía raro, pero cuando me dijo que era autor teatral y que sólo venía a trabajar, dejé de pensar en el asunto. Era una persona amable y tranquila. Me gustaría no haber tenido que testificar, ¿sabe...? Tenía una herida en la cara cuando se marchó, pero eso no quiere decir que... bueno, ya sabe. No entiendo cómo...

El encargado sonrió débilmente, temeroso y preocupado de que fuese su testimonio el que pusiera la soga alrededor del cuello del señor Ueda.

—Recuerdo otra cosa... Bueno, la verdad es que la recuerda mi mujer. Asegura que oyó llorar a una mujer en la habitación del señor Ueda, un día que él no estaba en casa. Parece una historia de fantasmas, ¿verdad? A la policía le hizo mucha gracia.

—¿Y como cuánto hace de eso?

—Déjeme recordar... yo diría que como unos seis meses antes de que arrestaran al señor Ueda.

Shinji le dio las gracias y abandonó el lugar.

Mientras caminaba en dirección al metro, pensaba en lo que le había contado el encargado. ¿Sería cierta esa historia de una mujer llorando en la habitación de Honda?

Si juzgaba por el detalle de que se refiriera continuamente a Honda como «señor Ueda», daba la impresión de ser alguien que se agarraba mucho a una idea fija.

Y si fuera cierto, ¿qué significaban esos llantos femeninos en la habitación?

Pensó un rato en el asunto, pero al llegar a la calle principal, estaba ya desechándolo. Después de todo, pensó, ¿qué importancia podía tener ese incidente?

4

Al salir del metro, tomó un taxi.

Sólo quedaba una mujer en la lista que le habían dado. Una mujer por la que seguía sintiendo algo pese a no haberla visto en años. La había dejado para el final. Pronto volvería a verla.

No sólo había tenido que trabajar para estudiar en la Universidad, sino que también tuvo que hacerlo para ingresar en ella. Trabajaba como profesor particular por las noches y durante los fines de semana, durante el día hacía de chico de los recados de un almacén, y de suplente ocasional en una oficina de correos. Los días festivos y los que se acostumbra regalar algo le resultaban especialmente agotadores, y más de una vez se había encontrado perdido por las calles de la ciudad, con los zapatos manchados de polvo y la pesada mochila cargada de regalos envueltos con el reconocible papel de los almacenes. Tras esos trabajos, no le quedaban muchas ganas ni tiempo para acudir a clase, especialmente cuando preparaba los exámenes de ingreso, por lo que solía pasar mucho por la biblioteca de la Universidad.

Poco a poco, fue conociendo a la chica que trabajaba allí. Resultaba bastante evidente que se atraían mutuamente, pero, por mucho que quisiera llevarla a algún sitio, casi nunca tenía dinero para hacerlo. Así que sólo pudo verla fuera de los recintos escolares siete u ocho veces en todo aquel tiempo. Y, de esas pocas ocasiones, sólo en una hizo el amor con ella, rápida y furtivamente, en la minúscula habitación que tenía alquilada.

Cuando consiguió ingresar en la Universidad, cada vez estaba más ocupado asistiendo a clase y trabajando para pagarse los estudios, por lo que fueron distanciándose más y más, hasta que llegó un momento en que dejaron de verse.

—Aquella corta relación se mantenía presente en su memoria, por banal que pareciera el recuerdo de aquella historia entre un estudiante pobre y una bibliotecaria. Pero, ¿cuántas veces, se preguntaba en el taxi que le conducía al campus, volvían a encontrarse 6dos amantes que habían dejado de serlo? La intriga le hervía en el pecho.

El taxi llegó a las puertas de la Universidad, donde terminaba la carretera. Shinji pagó la cuenta y se dirigió al edificio de ladrillo por el camino bordeado de zarzamoras. Las primeras hierbas del verano empezaban a germinar en el césped del campus.

Recordó el aspecto que mostraba todo aquello en sus días universitarios. El verano... tórrido, y el césped que crecía tan rápido que las siegas semanales no podían mantenerlo a raya. Recuerdos... las altas hileras de girasoles, las gotas de sudor que resbalaban por el rostro, por mucho que uno se secara la frente, la biblioteca vacía durante las largas vacaciones de verano, una chica que trabajaba allí y que siempre llevaba blusas blancas.

Inmerso en sus recuerdos estudiantiles, se paró un momento ante la biblioteca, antes de entrar, dando la impresión de que se le acababa de ocurrir.

El interior era tal y como lo recordaba: frío y con olor a moho.

Se acercó al mostrador. Michiko Ono, la encargada, rellenaba unas fichas. Era igual que en sus recuerdos, se sentaba encorvando ligeramente la espalda, con la cabeza inclinada en un ángulo que siempre le pareció encantador. Pero su rostro ya no tenía aquella expresión infantil, y pudo ver el paso del tiempo en las arrugas que rodeaban los ojos. Aquellas arrugas implicaban la lenta muerte de un alma humana.

—Señorita Ono —dijo en voz baja, en tono casi estrangulado.

Dejó de escribir y le miró como si le molestara que interrumpieran su trabajo. La expresión de disgusto se trocó en sorpresa al reconocerle. Parpadeó dos o tres veces.

—¡Señor Shinji! Cuánto tiempo... —dijo con voz embargada por la emoción.

—Pasaba por aquí y pensé visitarte.

—Salgo en media hora, cerramos a las cinco y media.

—Entonces consultaré un par de libros mientras espero. A los graduados se les sigue autorizando el acceso a la biblioteca, ¿verdad? —respondió tras consultar el reloj.

—Sí, mientras no saquen los libros de aquí. Utiliza la sala de lectura.

—Muy bien. ¿Tienes algo sobre tipos de sangre?

Repasó el fichero y consiguió dos títulos.

—Esto es lo único que tenemos, a no ser que consultes las enciclopedias.

Dándole las gracias, cogió los libros y se los llevó a la sala de lectura. Le hubiera gustado hablar con ella más rato, pero conocía las normas de la biblioteca: prohibido hablar o molestar a los demás. Los libros que le había proporcionado eran, como resultaba lógico en una biblioteca de Derecho, tratados de medicina forense. Anotó en su pequeña libreta todo lo que encontró que creía que podría serle de utilidad, y cerró los libros. Se recostó en la silla y fumó sin cesar, con los ojos fijos en el techo, hasta que llegó Michiko.

Se había cambiado y estaba lista para salir.

—¿Sirvieron de algo los libros?

—Sí, gracias. Encontré lo que buscaba.

—¿Estás trabajando en un caso que implica grupos sanguíneos? Debe de ser muy complicado.

—Sí —respondió, y añadió, acalorándose—: De hecho, estoy trabajando en la defensa de Ichiro Honda. Ya sabes, el caso «Sobra».

Su interlocutora adquirió un aire sombrío.

—Ah, ya veo. Has venido a verme sólo por asuntos de trabajo, ¿estoy en lo cierto?

—Para ser sincero, estás en lo cierto, pero me alegro mucho de volver a verte. Honda nos dio los nombres de cinco mujeres a las que recordaba, y tú eras una de ellas. Me pareció una sorprendente coincidencia —replicó tristemente.

Aparte de ellos dos, no quedaba nadie más en la sala de lectura. Cuando terminó de hablar, se hizo un silencio imponente, turbado sólo por los gritos de los estudiantes que practicaban algún deporte, a lo lejos.

El silencio le trajo a la memoria sus días en la escuela primaria. Las clases habían terminado, y casi todo el mundo se había ido ya a casa. También entonces, a lo lejos, había oído ruidos: alguien tocaba un instrumento en un aula lejana.

Por aquella época, había golpeado a un amigo que se dedicaba a insultar a su padre, un agente de bolsa que pasaba poco tiempo en casa. Por eso, los demás niños solían molestarle, insinuando que su padre debía de estar en la cárcel. Aun después de convertirse en adulto, Shinji seguía creyendo que sabía cómo se sentían los niños cuyos padres estaban en la cárcel.

Se obligó a regresar al presente y a seguir hablando.

—Sí, una auténtica coincidencia. Una que, la verdad, no quería creer. Por eso he venido a verte, después de tanto tiempo.

Michiko titubeó un momento antes de hablar.

—Es cierto —dijo después, con tranquilidad—. Le conocí. Necesitaba alguien con quien hablar, alguien que me hablara con ternura. Y él lo hizo. Por eso me fui con él al hotel. Pero sólo fue una vez. También deberías saber eso.

Recogió algunos libros y se dirigió hacia la puerta. Antes de salir, se volvió hacia él.

—Debes creer que soy una tonta ingenua, y peor aún: me quedé embarazada.

Shinji sintió como si el suelo se hubiera abierto debajo de sus pies.

—¡Michiko! ¡Es imposible!

—Pero cierto —sonrió con calma la mujer—. Mi hijo tiene nueve meses. Ya ha empezado a hablar.

Shinji se quedó estupefacto, sin hablar. Michiko había dado a luz al hijo de Honda. En el informe de la agencia de detectives no se mencionaba nada al respecto. Echó a correr tras ella. La mujer se detuvo y dirigió la vista al campus, sin desviarla hacia él.

—Sí, ya comprendo que debes de estar muy sorprendido. Mi madre se encarga de cuidar al niño, así puedo seguir trabajando.

—¿Pero no has intentado que Honda reconozca al niño?

—¿Por qué? No tiene nada que ver con él. Fui yo la que decidió tenerlo —contestó con firmeza—, así que es mío, no suyo.

—¿Y no estás enfadada, no odias a ese irresponsable?

—¿Por qué es un irresponsable, si ni siquiera sabe que existe el niño?

La réplica volvió a enmudecer a Shinji. Tardó unos instantes en poder hablar.

—Si hubiera sido yo... Si el niño hubiera sido mío, ¿tampoco me lo hubieses dicho?

Sus palabras parecían transformarse en burbujas al salirle de la boca, así que la pregunta fue casi inaudible. Su voz sonaba como si hablara desde las profundidades de un lago.

—Por supuesto, de haber sido tuyo te habría visitado para preguntarte si te gustaría ser el padre.

Le sonrió, se dio media vuelta y echó a andar camino de la salida de la biblioteca. Llegaron a la verja de la entrada. Shinji sabía que no tenía más preguntas para ella. Evidentemente, sería una estupidez preguntarle si Ichiro Honda había intentado estrangularla.

Michiko se dio la vuelta.

—Adiós —dijo. Y se marchó.

Mientras la veía perderse en la distancia, Shinji se sintió invadido por una sensación de pérdida completa.

Una cosa era segura más allá de toda duda. Había perdido algo. Para siempre.

5

Shinji subió por las cavernosas escaleras. Sus propios pasos eran el único ruido que se podía percibir en el oscuro vacío, y levantaban ecos. Arriba, arriba, siete pisos. Tras haberse pasado el día andando, sentía los pies pesados como el plomo. Después de las seis de la tarde cerraban los ascensores y apagaban las luces del vestíbulo. Por fin llegó al séptimo piso, y se detuvo un momento para enjugarse el sudor de la frente.

Abrió la puerta de la oficina. Mutsuko Fujitsubo, la secretaria de su jefe, era la única persona que quedaba, sentada sola en la oscuridad que también se había adueñado de la sala, con una expresión completamente vacía en el rostro. Era una muchacha no demasiado agraciada, aunque tampoco fea, que llevaba unas pesadas gafas con montura de color ámbar. Había entrado a trabajar en la oficina inmediatamente después de graduarse en la escuela de secretariado, dos años atrás.

—¡Hola! ¡Siento volver tan tarde! ¿Está el viejo todavía rondando por aquí?

—Sí, está leyendo el informe de la agencia de detectives —la chica señaló con gesto de resignación hacia la puerta que había en el extremo más lejano de la oficina, ya cansada por la larga espera a la que le obligaba su jefe.

Shinji se lavó la cara con agua fría, y sintiéndose ya más refrescado, entró en la habitación donde estaba Hatanaka. La chica le siguió con una libreta en la mano para tomar notas taquigráficas.

El viejo se enderezó en el sillón.

—Ya veo que has estado trabajando duramente —tenía la voz ronca, como estrangulada por una flema.

Shinji se sentó sin esperar más invitación, y sacó su bloc de notas. Empezó a hacer el informe de la jornada, vigilando a la chica con el rabillo del ojo para evitar que se quedara atrás. En el silencioso y oscuro edificio, su voz parecía el único sonido audible.

—Hoy me he entrevistado con todas las mujeres de la lista. Al parecer, han sufrido interrogatorios parecidos a cargo de la policía, con preguntas muy aproximadas a la mía: ¿intentó Ichiro Honda estrangularla?

—¿Lo hizo?

—A dos de ellas, no conseguí sacarles ni palabra. Y, con las demás, comprenda que no era fácil crear un ambiente propicio para formular la pregunta. Pero, de las tres que hablaron, dos lo negaron abiertamente, y me resultó muy claro que tampoco había sido el caso de la tercera.

—No me extraña que el fiscal no las llamara a declarar —gruñó el viejo.

—Sí, pero, ¿por qué tampoco las llamaron los abogados defensores? —preguntó Shinji.

—¡Porque los muy imbéciles estaban intentando encubrir sus relaciones con las mujeres! Creyeron que era mejor no evidenciar el hecho de que Honda es un don Juan; no estoy en absoluto de acuerdo con ellos. ¡Nuestro hombre se presenta ante un tribunal jurídico, no ante un tribunal moral!

—Eso mismo pensaba yo —murmuró aprobadoramente Shinji. Luego siguió, ya en voz alta—: Pero creo que hoy he averiguado algo muy interesante. Michiko Ono, que trabaja en una biblioteca, tiene un hijo de nueve meses, y afirma que el padre es Ichiro Honda. Si trabajamos con ella, podríamos convencerla para que prestara declaración a favor de nuestro cliente.

—¿Cuánto duró su relación con Honda?

—Sólo se vieron una vez —respondió tímidamente Shinji.

El gruñido del viejo fue perfectamente audible.

—Pero, en el informe de la agencia de detectives, no se habla de ningún niño. No entiendo por qué tuvo que confesárnoslo a nosotros.

Shinji comprendió que tendría que decirlo.

—Conocí a la chica cuando yo era estudiante —dijo—. Estuvimos enamorados durante algún tiempo. Supongo que ése es el motivo de que me lo dijese.

El viejo se quedó en silencio. El lápiz se paralizó en las manos de la secretaria, que tenía los hombros inclinados hacia delante y una expresión de asombro en el rostro. El sol se había puesto del todo, y la débil luz del escritorio apenas bastaba para ver.

—Encenderé las luces —dijo Shinji, rompiendo el silencio.

Se levantó, y se dirigió al interruptor. Sus movimientos parecían rasgar el aire de la habitación, que se había convertido en una especie de tumba sellada. El viejo encendió con lentitud otro cigarrillo.

—Y, esa mujer... ¿cómo se llama? —echó un vistazo rápido al informe—. Michiko Ono, ¿tiene intención de informar a Honda del feliz evento?

—Dice que no tiene nada que ver con Ichiro Honda, que es algo completamente suyo —replicó Shinji.

—¿Lo hace quizá porque el padre del niño puede ser un asesino?

—No cree que cometiera ninguno de los crímenes.

—Me pregunto por qué todas las mujeres le consideran inocente —murmuró el viejo—. ¿Le parece que nuestro hombre tiene algo especial, algo que atrae a las mujeres?

—Eso es lo más llamativo de él —contestó Shinji—. Su única anormalidad, si es eso lo que estamos buscando, parece residir en el hecho de que es capaz de entrar en una mujer y ganarse sus simpatías. Las engaña, pero ellas no parecen verlo así. No podría explicarlo, pero así es —el mismo Shinji se sorprendió al advertir que, mientras profundizaba en el caso, en su interior habían nacido ciertos sentimientos hacia Honda de los que no había sido consciente hasta aquel momento. Pero eso no significaba ni remotamente que aprobara el comportamiento de Honda.

El viejo pareció satisfecho con el informe de Shinji. Tomó unas cuantas notas rápidas en una libreta, pero Shinji no pudo alcanzar a leerlas. Finalmente, levantó la vista.

—Hoy he ido a visitarle —dijo. Había algo casi íntimo en su manera de pronunciar la frase—. Ya lleva casi tres meses en la cárcel, y se ha convertido en una sombra de sí mismo. Es imposible verle, ni siquiera imaginarle, como el hombre atractivo a cuyos brazos caían las mujeres. La sentencia de muerte le ha hundido. Le he pedido que reconstruya su diario de don Juan, en vez de pasarse el día llorando en la celda. Si lo intenta, puede hacerlo; un ingeniero informático está obligado a tener más memoria que la mayoría de las personas. Apuesto a que, con un poco de tiempo, puede reconstruir el diario casi íntegro.

Sacó otro cigarro y mordió el extremo.

—¿Cuál cree que es el punto más llamativo de este caso, en qué nos basaremos para la apelación?

—El raro tipo sanguíneo del defendido.

—Estoy de acuerdo. Encontraron sangre bajo las uñas. Cantidades minúsculas, pero más que suficientes. Es una de las primeras cosas que se investigan en un caso de estrangulación. Generalmente, la víctima consigue arañar el rostro del asesino. Bueno, en un primer análisis, hubo un error de procedimiento e identificaron la sangre como perteneciente al tipo AB. Pero, cuando arrestaron a Honda, se dieron cuenta de que pertenecía a un tipo extraño. No sólo AB, sino AB Rhesus negativo. Así que todas las sospechas quedaron confirmadas. Esta evidencia basta para ponerle la soga alrededor del cuello.

—Sí —dijo Shinji—, y hay otra evidencia más: el tipo de esperma. Detectaron esperma tipo AB en las vaginas de las víctimas. Claro que esta prueba no es tan aplastante, se puede identificar el tipo de sangre partiendo de la saliva o el esperma, pero no se puede determinar nada más que si es A, B, AB o cero. El factor Rhesus negativo sólo se puede detectar directamente en la sangre —Shinji pensó que, la investigación en la biblioteca no había sido tan inútil.

—Muy bien. Ahora, tipos de sangre aparte, y según mi punto de vista, hay otra cosa que está en contra del defendido.

—La falta de coartada —replicó Shinji prontamente, como si fuera un chiquillo de la escuela primaria recitando la lección. Estaba disfrutando intensamente del diálogo con su superior.

—Otra vez de acuerdo. El cinco de noviembre, mientras se cometía el primer asesinato, Ichiro Honda dice haber estado con Fusako Aikawa. De cualquier manera, el diecinueve de diciembre, la noche en que murió Fusako Aikawa, dice haber estado con Mitsuko Kosigi, que, muy inconvenientemente, fue la siguiente víctima. Esta no-coartada que ofrece en lugar de coartada me interesa enormemente. Huele a trampa de lejos. Si le creemos, veremos que tiene excelentes coartadas... Si no fuera porque, desgraciadamente, las mujeres que podrían probarlas fueron asesinadas en sus respectivos turnos. ¿Absurdo, dice? Sí, pero también presenta interesantes posibilidades. Detengámonos a pensar en un móvil. Compare las poco convincentes excusas de Honda por su falta de coartada con la cuestión del móvil. ¿Recuerda qué motivo alegó la acusación?

—Sí, señor. Dijeron que había asesinado a las mujeres durante el intercambio sexual para satisfacer deseos sexuales anormales. Y, como prueba, presentaron al médico de su familia, que testificó la impotencia de Honda cuando está con su esposa.

—Correcto. El tribunal estaba convencido de que eran crímenes sexuales. Pero yo no estoy de acuerdo. Si el móvil eran perversiones, ¿por qué le bastó con dos, con tres como máximo? Un fallo en la argumentación, ¿no? ¿Por qué perdonó a las otras mujeres?

Debería haber albergado los mismos deseos anormales hacia ellas... Y sabemos que no. Así que, déjeme presentar una hipótesis. Llamemos «X» al asesino de las tres mujeres.

»Ahora, si 'X' *es* igual a Honda, entonces no se puede pensar que los tres crímenes fueron cometidos por motivos sexuales.

»Pero, si 'X' *no es* igual a Honda, entonces se trata de otra persona, y tenemos que buscar un nuevo móvil, uno que no hayamos tenido en cuenta cuando creíamos que 'X' era Honda. ¿Me explico?

Shinji lo pensó un momento.

—Ya veo —dijo al fin—. ¿Intenta decir que «X» pretende deliberadamente culpar a Honda?

—Precisamente. Era una trampa. Y le diré una cosa: «X», que ha cometido los asesinatos, no quiere que las acusaciones recaigan sobre Honda para salvar su propia piel. ¡Qué perfectamente planeado ha estado todo! No, hay algo muy deliberado en todo esto.

—*Han asesinado a esas tres mujeres para que la culpa recayera sobre Ichiro Honda.*

Dejó caer lentamente las palabras de la última frase, pronunciando claramente cada una de ellas. Tras una pausa para que causaran efecto, siguió hablando:

—Así que, siempre según mi opinión, «X» tenía un único motivo, un profundo odio contra Honda. Mientras hablaba hoy con el defendido, me sentía cada vez más seguro de esto. Ahora, lo que necesito es una lista de personas que puedan albergar rencor contra él. Por eso le he pedido insistentemente que reconstruya su diario.

El viejo hablaba cada vez con más ardor, arrastrando a Shinji con él. Era como escuchar a un gran abogado haciendo su alegato ante un tribunal. La lógica era perfecta y elegante, pero, ¿se sostendría? Shinji lo dudaba. En alguna parte del razonamiento debía de haber un agujero.

—Creo —siguió Hatanaka—, que alguien ha preparado cuidadosamente ese cúmulo de pruebas tan irrefutables, tan cuidadosamente *evidentes* que llegaron a manos del tribunal. Esto es obra de un ser humano decidido a todo, y no simplemente un cúmulo de accidentes concatenados.

—Pero, ¿hay manera de convencer de eso a un tribunal?

—Probablemente, no. Tengo que buscar pruebas igualmente irrefutables para enfrentarlas a las que ya hay contra nosotros.

Shinji no le preguntó cómo pretendía hacerlo. Le abrumaba el sentido del deber del viejo.

—Así pues —siguió el anciano abogado—, voy a emplear a fondo los servicios de esa agencia de detectives. Por suerte, el suegro paga las facturas, y es un hombre rico. Podemos gastar tanto como queramos. Partiendo de mi teoría de que todas las pruebas han sido preparadas, empezaré averiguando cómo se puede conseguir sangre tipo Rhesus negativo —volvió a encender el cigarro, que se le había apagado.

La conversación había terminado, y Hatanaka se levantó para salir. Shinji ayudó a la secretaria a cerrar las ventanas. Fuera, el manto de la noche había caído sobre la ciudad. Al mirar las oscuras calles, sintió que, contra todo lo que se podía suponer, la dedicación y el talento del viejo podrían acabar cambiando el rumbo del juicio. El vasto y oscuro cielo no era más inmenso que el sentido del deber del viejo.

Tras él, Hatanaka salió por la puerta, con el maletín en la mano.

EL BANCO DE SANGRE

1

Transcurrió una semana antes de que el viejo volviera a llamar a Shinji.

—Tengo otro trabajo para usted. Siéntese y échele un vistazo a esto —dijo pasándole tres páginas mecanografiadas y unidas por una grapa—. Es el informe que he recibido hoy de la agencia de detectives. Contiene nombres, direcciones y lugares de trabajo de seis personas. También encontrará el itinerario aproximado que suelen seguir esas personas en un día normal.

—Sí, ya lo veo —respondió Shinji tras examinar los papeles—. ¿Qué quiere que haga con esto?

—Todas las personas incluidas en esa lista tienen AB Rhesus negativo.

—El mismo tipo sanguíneo que el de Ichiro Honda, ¿verdad?

—Correcto. ¿Qué porcentaje de la población cree usted que comparte ese mismo tipo?

Shinji intentó recordar sus consultas en la biblioteca. Había leído que lo tenían el quince por ciento de los caucasianos, pero que en el caso de los orientales el porcentaje disminuía considerablemente, quedándose en un 0,5 por ciento.

—Uno de cada doscientos, creo recordar.

—No. Aún menos —sonrió el viejo—. Uno de cada doscientos tienen el factor Rhesus, pero ser además AB negativo disminuye mucho la proporción. Así que la respuesta a mi pregunta es la de uno de cada dos mil, porque sólo el diez por ciento de los japoneses tiene sangre AB.

—¿Y eso cuánto nos da para la población de Tokyo?

—Si la calculamos en diez millones... nos salen cinco mil.

—¿Y ha hecho una lista de seis?

—Ah, es que cinco mil es un dato estadístico carente de significado. ¿Cuántas personas de esas cinco mil saben que su sangre es AB Rhesus negativo? En tiempos de guerra la gente se preocupa por saber cuál es su tipo de sangre, pero no en tiempos de paz. La verdad es que ni yo mismo sé cuál es el mío —rió maliciosamente, haciendo girar el puro en la boca.

Shinji, por su parte, sí sabía que su tipo era AB. Cuando estaba en la escuela primaria, siempre llevaba una tarjeta que indicaba su grupo sanguíneo. Era uno de los escasos recuerdos que conservaba de los tiempos de guerra, y nunca se había molestado en comprobarlo. Y, ahora que lo pensaba, el tipo Rhesus se descubrió en la guerra, cuando las transfusiones eran cosa corriente. En la actualidad, saber si se tiene o no el factor Rhesus puede ser importante, pero en su niñez era algo desconocido. Quizá también era Rhesus negativo sin saberlo.

Y encima, tampoco tenía coartada para las fechas de los crímenes y podía resultar sospechoso.

—Puede que la gente sepa qué tipo de sangre tiene, A, B o cero, pero hay muy pocos que sepan si son Rhesus negativo —continuó el viejo.

—¿Y cómo pueden llegar a saberlo?

—Hay dos maneras.

—Una, imagino que será al hacerse una transfusión.

—Muy bien, ¿y la otra?

Shinji se quedó mudo y el viejo rió triunfante.

—Cuando cedes sangre para una transfusión, naturalmente.

—¿Se refiere a los donantes? ¿A los que venden sangre?

—Eso es. Y no me interesan las transfusiones en sí, sino la sangre que se almacena.

—¿Los bancos de sangre?

—Eso mismo. Y, ¿sabe?, uno no deposita la sangre en uno de estos bancos y la saca cuando la necesita. La mayor parte de la sangre de estos bancos se compra. Y los bancos siempre guardan registros de quién les vende la sangre.

—¿Quiere decirme que, en un banco de sangre, se pueden conseguir listados de gente que tiene AB Rhesus negativo?

—Sí, y eso es lo que hemos hecho. Tiene en sus manos el resultado. Hemos investigado en todos los bancos de sangre de Tokyo y confeccionado una primera lista de veintisiete personas con Rhesus negativo, de los cuales seis han resultado ser AB. Un porcentaje estadísticamente alto.

El plan del viejo empezó a resultar evidente para Shinji. Viéndolo desde un aspecto optimista era un tiro a ciegas. Desde uno pesimista, resultaba un juego peligroso.

—Ya sé que puede parecer raro, pero cuando lo planteamos de esta manera, me siento en la piel del criminal —continuó el viejo—. Lo que quiero decir es que intento imaginar que *soy* el criminal para saber cómo piensa. Si quiero inculpar a Ichiro Honda colocando sangre de su tipo en la escena del crimen, ¿cómo me las arreglaría? Lógicamente, me acercaría a un banco de sangre y buscaría gente que tuviera ese tipo. Así que, ¿qué cree que hice a continuación? Hice que preguntaran si había habido alguien que, a lo largo del año pasado, hubiera hecho algún tipo de indagación sobre donantes de ese maldito tipo de sangre. Y hubo alguien.

Terminó en tono casi triunfante.

Sacó otro documento de la carpeta que tenía en la mesa y encendió un nuevo puro. Shinji pensó que era este amor por el detalle lo que le había convertido en un abogado criminalista tan bueno.

—Se descubrió que, a principios de septiembre, hubo alguien que pidió donantes de AB Rhesus negativo en varios bancos de sangre. Dijeron que se necesitaba para un recién nacido. Los niños que nacen de madres con Rhesus negativo necesitan una transfusión total de sangre o mueren. Se llama «enfermedad hemolítica del recién nacido».

»Dijeron que la petición la había hecho un hospital del distrito de Toshima, así que se les llamó por teléfono y, ¿querrá creer que no habían tenido un caso semejante en los últimos doce meses?

—La llamada era falsa.

—Exactamente.

El viejo había encontrado la pista de la persona que le había tendido la trampa a Ichiro Honda. Ahora, sólo había que seguirla. Shinji se tensó por la emoción.

—¿Cómo era la persona que hizo la llamada?

—Nunca se presentó en persona, siempre llamaba por teléfono. Dijeron que la voz parecía forzada.

—¿Un hombre?

—Probablemente, a juzgar por lo que me dijeron, pero no podemos descartar que fuera una mujer modulando la voz para que pareciera la de un hombre. Creo que no debemos eliminar ninguna posibilidad.

—Bueno, al menos nos ha dejado algo con lo que trabajar. ¿Ésta es la lista de nombres que le dieron?

—Sí, pero se dará cuenta de que uno de ellos es una mujer de cuarenta y dos años. Una empleada ocasional de un albergue para desahuciados. Con un análisis de sangre se puede descubrir el género del donante, así que puede eliminarla. Tengo una corazonada, y estoy seguro de que descubrirá que alguno de esos cinco hombres ha vendido su sangre a nuestro hombre.

El razonamiento del viejo parecía sostenerse, pensó, Shinji. Pero si esa teoría resultaba ser cierta y alguien le había tendido una trampa a Ichiro Honda, ¿cómo diablos pudo conocer su tipo sanguíneo?

—Honda debió descubrir que tenía ese tipo de sangre cuando estaba en el colegio, así que sólo pueden conocerlo sus familiares y amigos íntimos.

—No necesariamente. Cualquiera pudo averiguarlo. —El viejo sacó un antiguo periódico de la carpeta de su escritorio con el gesto de un niño que saca un juguete de una caja—. Esto es de hace diez años. Lo saqué del archivo del periódico. Relata cómo se salvó la vida de un recién nacido en un hospital de Fukuoka. Imagino que habrá adivinado ya que Ichiro Honda fue el donante de esa transfusión.

El viejo le miró triunfante.

—Era una de las primeras transfusiones de Rhesus negativo que se realizaban en Japón, fue noticia de primera página. Hasta la completaron con una foto de Honda.

El viejo le entregó el periódico y Shinji pudo ver la foto de un Honda mucho más joven y leyó los titulares.

«El laboratorio de Biología de la A.M.U. salva la vida de un niño. La sangre de los estudiantes se clasifica según el sistema americano. Un triunfo para la ciencia. Un estudiante se desplaza a Fukuoka a bordo de un avión militar para donar sangre.»

El viejo mordió el cigarro y prosiguió.

—Aquí hay algo interesante. En esos días no se conocía el término «Enfermedad hemolítica de los recién nacidos» y se referían a ella como «Incompatibilidad Rhesus». Bueno, pues la persona que hizo las llamadas utilizó esta expresión en vez del término actual. Ésa es la razón por la que recuerdan tan bien las llamadas en los bancos de sangre. Y en el artículo pone «Incompatibilidad Rhesus». Bastante obvio, ¿verdad?

—¿Quiere decir que nuestro hombre ha leído el artículo?

—Eso es lo que creo. Estoy seguro de que el que hizo las llamadas no tenía problemas con ningún niño, y que es nuestro escurridizo «X». Así que yo volveré a la cárcel a animar a Honda a que reconstruya su diario, y usted investigará a esas cinco personas.

¿Tendría razón el viejo? Como había dicho, sólo podría saberse después de haber hablado con los cinco. Shinji se dispuso a irse, pero su jefe le retuvo.

—Me dijeron en la Universidad que Ichiro Honda fue, en todos los aspectos, un estudiante ejemplar. El primero de su clase, de moral intachable.

—¿Qué le pasó, entonces? —preguntó Shinji sin obtener respuesta.

¿Fue Honda un hipócrita mientras estuvo en la universidad? se preguntó Shinji. ¿O era su actitud actual una reacción contra sus días de estudiante en la Asia Moral University?

¿Qué hacía que un hombre fuera mujeriego?

A Shinji le hubiera gustado saberlo, pero ahora su principal trabajo era localizar a la persona que había inculpado a Honda.

Cogió los papeles y salió de la habitación.

2

Shinji salió del edificio poco antes del mediodía, y la brillante luz del sol le pareció cegadora tras haber estado en la oscura oficina. ¿A quién visitaría primero?

Debía volver con resultados lo antes posible. Había leído la lista varias veces y seguía sin decidirse. Volvió a mirar el informe de la agencia.

1. Yuzo Osawa, 58 años, trabajador diurno. Dirección actual: Fukumae Ryokan, Asahicho, Shunjuko. Familia y dirección anterior desconocidas.

Acude todos los días a la Oficina de Empleo de Shunjuku, y casi siempre trabaja en la construcción de carreteras cuya financiación suele depender de las mismas oficinas.

(*Notas.*) Cena en un restaurante barato llamado Renko, cerca de su alojamiento. Siempre come lo mismo: dos vasos de vino barato y un cuenco de judías, su comida preferida. Bebe para alegrarse, nunca se emborracha.

El mejor momento para contactarle es la hora de las comidas o en la oficina de empleo.

«Bueno —pensó Shinji—, la mayoría de la gente pensaría que es un fracasado, pero, ¿quién puede decir que no vive como le gusta y por lo tanto disfruta con ello?»

2. Seiji Tanikawa, 23 años, trabaja en los laboratorios fotográficos de T-Film, universitario. Actual dirección: 12-X Chome, Shimorenjaku, Mitaka City. Es una residencia para solteros.

(*Notas.*) Actitud satisfactoria en el trabajo. Se queda a trabajar fuera de horas dos o tres noches por semana. No frecuenta bares o cafeterías, pero los lunes y viernes, cuando no se queda a trabajar, va a un baño turco situado en Kanda. Siempre utiliza a la misma chica, Yasue Terada. Para más detalles, consultar con el detective encargado.

El salario de Tanikawa es de 28.000 yens mensuales, incluyendo horas extras. Envía todos los meses a su madre la cantidad de 5.000 yens. Su cuenta en los baños turcos asciende a 2.000 yens por visita, lo que implica que, si los visita dos veces por semana, paga alrededor de los 20.000 yens mensuales. Sumando lo que le envía a su madre, los gastos de vivienda, la cuenta del baño turco y los regalos de Sushi que le hace a la chica que emplea, y el mínimo necesario para mantener vivos cuerpo y alma, sus gastos mensuales no bajan de 30.000 yens. Creemos que tiene ingresos adicionales basados en el rodaje y venta de una clase especial de películas.

«Un hombre que va hundiéndose progresivamente en el barro y que acabará en él», meditó.

3. Rosuke Sada, 33 años, vendedor de la sucursal de Suginami de la H-Cosmetics Ltd. Co. Dirección actual: Tachibana-So, 2-Chome, Asagaya, Suginami-Ku.

Graduado universitario, casado y sin hijos.

(*Notas.*) Su campo de ventas está constituido por Setagaya, Suginami, Shibuya y los distritos de Nakano. Su clientela está formada principalmente por burgueses. Tiene un éxito mediano y tenemos razón para creer que, además, vende material de joyería que le proporciona un colega. Gana alrededor de 40.000 yens mensuales. Su itinerario diario es difícil de predecir debido a la naturaleza de su trabajo, pero suele comer en un restaurante alemán de Shunjuku, llamado Hamburgo. Después del trabajo vuelve a casa, y mira la televisión o va a una cafetería de la vecindad, donde entabla conversación con las mujeres que lo regentan. Parecen interesarle demasiado las mujeres.

«Este hombre es mi máximo común denominador», pensó Shinji.

4. Nobuya Mikami, 18 años, es un camarero que vive en el Bar B de Hanazono-Cho, Shunjuku. Dirección actual: la ya indicada.

(*Notas.*) El Bar B es un bar gay. Su principal característica es que los empleados suelen tener menos de 19 años y ninguno se disfraza de mujer. Tiene muy pocos clientes casuales. Los habituales suelen acudir con intenciones sodomitas. Hay clientes que no se molestan en aparecer por el local, son de elevado nivel social y se limitan a llamar por teléfono para hacer sus peticiones. El dueño se hace llamar «Mami» y se encarga de arreglar las citas. El precio mínimo es de 3.000 yens, pero puede ser mucho más elevado, según la cartera y los gustos del cliente. Alguno de los chicos viven en casas alquiladas por sus clientes. Los que contactan con extranjeros suelen hacer largos viajes.

«Interesante», pensó.

5. Kotaro Yamazaki, 26 años, interno del Y-University Hospital. Dirección actual: c/o Muneda, Tsuji-Cho, Otsuka, Bunkyo-ku.

(*Notas.*) Reside en esa dirección desde que era estudiante. Sigue una rutina diaria bastante irregular. Prepara sus exámenes, va a ver películas extranjeras, acude a partidos de béisbol o a algún sitio a beber. Suele frecuentar una cafetería local llamada Pájaro Azul. Suele aparecer a la hora de las comidas, dado que está muy próximo al hospital.

«Vale. Aquí tenemos a alguien que debe saber un rato de grupos sanguíneos y cómo conseguir sangre», dedujo.

Así que Shinji decidió empezar con el médico interno. Podría hablar con él en la cafetería mientras comía algo. Miró el reloj, dándose cuenta de que ya eran la una y media.

Se dirigió a Ochanomizu, donde estaba situado el hospital, pero se le ocurrió una idea por el camino. Salió del vagón de metro y telefoneó a un amigo periodista cuya oficina no estaba lejos. Pensó que todo resultaría más fácil si se hacía pasar por periodista y le pidió a su amigo unas cuantas tarjetas de visita, diciéndole que tenía que entrevistar a unas cuantas personas y que podrían serle útiles. Su amigo accedió y se acercó al periódico. Resistió la invitación de su amigo a comer y continuó su camino.

Cuando llegó a la Universidad llamó a Kotaro Yamazaki por centralita. Le respondió una voz dura y poco prometedora.

—Soy del *Daily News* —dijo—; estoy escribiendo un artículo sobre donantes de sangre y me gustaría que me dedicase unos minutos.

—Ha acudido a la persona equivocada —respondió con voz fría y distante.

—Pero el banco de sangre G me dijo que usted era donante de sangre Rhesus negativo y...

—Es muy extraño. Hace muchos años que no dono sangre.

—De todos modos, ¿podría concederme unos minutos? No le llevaría mucho, se lo aseguro —añadió, con el tono de voz más persuasivo que pudo encontrar.

—Está usted intentando imponerme su presencia —replicó la voz con furia, pero aceptó una cita en la cafetería.

Veinte minutos más tarde apareció en la cafetería Pájaro Azul y resultó ser un joven alto y guapo. Identificó a Shinji por el hecho de ser la única persona que no estaba acompañada, y se sentó frente a él.

—Soy Yamazaki. ¿Qué puedo hacer por usted?

—Responder unas preguntas. Tengo entendido que posee usted un grupo sanguíneo bastante raro. Empezaré preguntándole si su condición de donante se debe a su profesión de médico.

Yamazaki miró la tarjeta de visita que le enseñó Shinji, le dio la vuelta como para examinar su dorso y se la devolvió.

—Bueno, como ya le dije por teléfono, hace años que no dono sangre.

—¿Y en el pasado? ¿Lo hacía a menudo?

—No. Sólo dos o tres veces.

—¿Y no ha donado sangre recientemente?

—Al menos desde hace un año. Y no fue idea mía. Recibí una petición de un banco de sangre debido a mi grupo. Parece que se les había acabado y que tenían una emergencia. Un recién nacido, creo.

—¿Alguna otra vez?

—Ninguna más.

—¿Y qué me dice entre octubre del año pasado y enero de éste?

Ante esta pregunta Yamazaki le miró con dureza, pero Shinji mantuvo su gesto indiferente y se relajó.

—¡Si he dicho ninguna, quiero decir ninguna! ¿Por qué es usted tan inquisitivo? —replicó hurañamente.

Shinji concluyó que no sacaría nada más de esta entrevista y se dispuso a marcharse. Yamazaki se recostó en su silla, miró a Shinji y siguió hablando.

—La sangre es un tema algo aburrido hoy en día, ¿no cree? El esperma parece ser ahora lo que más interesa. El otro día me entrevistó un periodista de una publicación de tercera para hablar de donaciones de esperma. Más interesante, ¿verdad? Pero los donantes no estamos autorizados a hablar del tema. Digamos que son cosas del oficio.

Estaba bromeando y Shinji no se dio cuenta de la importancia de lo que le decía. Pagó la cuenta y se marchó.

Volvió a la oficina, donde encontró a Mutsuko Fujitsubo archivando unos papeles. El viejo estaba en la cárcel hablando con Ichiro Honda.

—¿Cómo anda la reconstrucción del diario? —preguntó mientras hojeaba los informes de la agencia que Mutsuko estaba archivando.

Parecía que una de las víctimas de Honda había sido maestra de escuela. Los estigmas ocultos de la humanidad podían encontrarse en todas partes.

—No muy bien, me temo —contestó Mutsuko—. Parece que Honda no recuerda tanto como le gustaría al viejo. Y la agencia de detectives tampoco progresa mucho. Tienen un montón de gente en el caso, pero no consiguen mucho.

Shinji pensó que encontrar a alguien con un motivo reconstruyendo el diario del don Juan no era tarea tan sencilla como el viejo había esperado que fuera, y creía que a Mutsuko le parecía lo mismo. Si esto resultaba ser cierto, el viejo tendría que apelar sin nada nuevo en que apoyarse. El día de la audiencia se acercaba y Shinji sentía que no había tiempo que perder. El asesino había dejado una débil huella en los bancos de sangre, y a él le tocaba conseguir todos los datos posibles y llevárselos al viejo.

3

Llegó la tarde y se puso el sol. Alguien había esparcido agua en el pavimento frente al pub Renko, en un vano intento de asentar el polvo.

Shinji se abrió camino a través de la triste cortina de cuerda que separaba el bar de baja estofa del mundo exterior. Identificó rápidamente a Yuzo Osawa en el viejo sentado solo ante el mostrador en forma de U que bebía sochu, una fuerte bebida barata. Tal y como decía el informe, tenía ante sí un cuenco con judías. El pub estaba casi repleto y la mayor parte del personal se apelotonaba ante la pantalla del televisor. Cuando Shinji se sentó ante Osawa descubrió que, desde ese sitio, una columna bloqueaba la visión del televisor. Pidió una botella de cerveza.

Osawa, sentado a su lado, daba vueltas al vaso de sochu como si intentara calentarlo, y se lo llevaba a los labios de vez en cuando, tomando un lento y cauteloso sorbo. Tenía las uñas manchadas de aceite y polvo.

—¡Eh, viejo! ¿No nos hemos visto antes? —dijo Shinji con jovialidad forzada.

Osawa volvió la cabeza y le miró sin ver.

—¿Qué? —dijo llevándose la mano al oído.

La barba de varios días salpicada de blanco acrecentaba su aspecto desaliñado.

—Decía que nos conocemos de antes.

—Si usted lo dice —replicó en tono negativo y volviendo su atención al sochu.

Estaba volviendo a meterse en su concha y Shinji tuvo que actuar con rapidez.

—Creo que sé dónde fue. Estábamos en la cola del banco de sangre... Debió de ser en el laboratorio Komatsu, ¿verdad? Hoy he podido vender una poca. Déjeme invitarle a una copa.

—¿Sí? ¿De verdad? Muy amable.

El tono de voz se tornó más amistoso. Bebió lo que le quedaba de un trago, como temiendo que el forastero se echara atrás en lo de la invitación. La manera en que se secó la boca con la manga delataba lo precioso que era para él el licor.

—A los jóvenes os sigue valiendo lo de la sangre —dijo cuando tuvo un vaso frente a él—. Pero a un viejo como yo... ya no me quieren. Te dicen que no es lo bastante espesa, o algo así.

—¿Ya no vendes sangre, entonces? ¿Y cuándo fue la última vez?

—Hace cosa de un año. Echaron a la persona que estaba al cargo y la nueva no me toma en serio.

—Pero seguirías vendiéndola si pudieras, ¿eh, compañero? Vamos, quiero decir que si apareciera alguien a comprarte sangre, se la venderías, ¿eh?

—Claro. Sigo teniendo buena salud y mi grupo sanguíneo es muy raro. Muy valioso. No se parece al que tienen los demás, no. Soy AB Rhesus negativo, y sólo se da en uno de cada dos mil, ¿sabes? Pero ya nadie quiere comprármela.

La lengua del viejo empezaba a atascarse, por lo que Shinji pidió otro vaso y se levantó para marcharse.

—La próxima vez invito yo, amigo —le dijo el viejo con la boca llena de sochu, casi atragantándose al hablar.

Shinji salió y se dirigió a la estación de metro de Shinjuku. Bueno, pensó, el viejo ya no podía vender sangre. ¿Quién podría comprarla, tan licuada y cargada de alcohol como estaba? El que buscara sangre intentaría sacarla de alguien de la misma edad de Ichiro Honda. Eliminó de su lista al peón y al estudiante de medicina. Y además, «X» no se habría acercado al interno por temor a sus conocimientos médicos.

Tomó la línea Chuo y se dirigió a Kanda. Cuando el

tren arrancó, sacó la cabeza por la ventanilla para que el aire fresco disipara los vapores de cerveza que podían dificultar la próxima entrevista. Pero cuando el tren adquirió velocidad, descubrió que la corriente del aire que producía al desplazarse le impedía pensar con claridad. El foso del palacio reverberó ante sus ojos en la noche veraniega, y pudo captar la visión de las parejas que solían navegar en las iluminadas barcas que se desplazaban por las tranquilas aguas. Incluso, cuando hacía ya rato que la imagen había desaparecido, seguía teniendo en la cabeza la visión de una pareja que llevaba blusas blancas.

El baño turco Alibabá estaba a cinco minutos de la estación de Kanda, y Shinji pudo ver el letrero de neón rojo desde el tren cuando aún no había llegado al andén. Localizarlo resultó ser una tarea menos sencilla de lo que había imaginado. Tuvo que atravesar un amasijo de callejuelas abarrotadas de clubs nocturnos, bares baratos y casas de comidas de baja estofa. Uno de ellos estaba especializado en brochetas de pollo, y tuvo que evadir la pesada nube de humo blanco que salía del extractor. Se sintió atrapado y pronto empezó a notar otro olor por encima del de aceite quemado, el del deseo sexual y la inmoralidad. También había en la zona un grupo de tiendas de ropa que habían cerrado hacía ya rato, dejando que la oscuridad rodeara el baño turco. El Alibabá estaba situado a continuación de unos baños públicos. Era un contraste interesante, pensó Shinji, el que formaban la polución moral de uno al lado de la limpieza corporal del otro. Aunque nunca había estado en uno de estos establecimientos, era perfectamente consciente de que no eran más que tapaderas de prostíbulos.

La entrada estaba adornada con palmeras auténticas y plantas de plástico, y, al pasarla, se encontró con el enlosado recibidor escondido del exterior por un muro cubierto de terciopelo damasquinado en marrón y oro.

En el interior, la iluminación era escasa y de color rojo. La multicolor alfombra era tan tupida que ahogaba el sonido de sus pasos, dándole un carácter secreto a su visita. A un lado de la sala había una mesa con un sofá y varios sillones ocupados por numerosos clientes que distraían la espera leyendo revistas o viendo la televisión. Pese a que había bastantes latas de cerveza abiertas, nadie parecía prestarles mucha atención.

Se sentó y pronto apareció un hombre a atenderle.

—¿Quiere que le atienda alguien en especial?

—Sí. La señorita Yasue —era la chica que atendía a Seiji Tanikawa—. Creo que se llamaba así. ¿Tienen ustedes a alguien con ese nombre?

—Sí, señor. Espere unos minutos, por favor —respondió con gesto adulador—. Puede beber algo mientras tanto. Cortesía de la casa.

Shinji pidió un whisky y el dependiente se marchó.

Según el informe de la agencia, Seiji Tanikawa frecuentaba este establecimiento los lunes y los viernes, cuando no se quedaba a trabajar. Solía presentarse entre las siete y las nueve.

Un extraño aroma se respiraba en el ambiente. El olor de los hombres que desean satisfacer sus deseos sexuales, pensó.

El tiempo pasaba. De vez en cuando se levantaba un cliente y desaparecía en el interior al oír que le llamaban, para ser invariablemente sustituido por un nuevo cliente del exterior, al que no era raro ver aparecer con algunas copas de más. A veces aparecía una mujer en sandalias, vistiendo una bata roja y blanca sobre el rojo uniforme compuesto de camiseta y pantalones cortos, despidiendo a un cliente que se marchaba feliz. ¿Se habría marchado ya Seiji Tanikawa, o aún estaría dentro?

Coincidiendo con este pensamiento, le vio salir de detrás de la cortina. Le reconoció por las fotos que le había proporcionado la agencia de detectives. Su figura delgada destacaba aún más por el suéter negro que llevaba esa noche. Le seguía de cerca una chica muy pequeña que debía ser Yasue Terada. Pasó ante Shinji mostrándole sus escuálidas mejillas y su duro perfil.

Yasue le despidió en la entrada apretándole el hombro huesudo con familiaridad. Tanikawa se limitó a encogerse de hombros y a marcharse sin decir palabra. «Para ser un hombre que viene por aquí dos veces semanales...», pensó Shinji, cuya vida privada estaba limpia como una hoja de papel. Observó cómo se alejaba y se perdía de vista, casi sintiendo su debilidad. Los pies de aquel hombre estaban hundiéndose lentamente en las pantanosas aguas del vicio.

Yasue intentó volver a su reservado pero la detuvo el dependiente que le susurró algo al oído. Se acercó a Shinji, pero no pudo reconocer su cara.

—Usted es... —empezó, pero no pudo terminar la frase.

—Soy yo. Yamada, ¿me recuerda? —mintió Shinji—. Vine una vez, hace ya algún tiempo.

—Claro que le recuerdo, señor Yamada —replicó alegremente, sacándole del recibidor.

«Estas chicas —pensó—, tienen que ver a tantos hombres cada día, quizá cien al mes, que no pueden recordar las caras de los que sólo vienen una vez.»

Siguiéndola, pudo ver su nuca y sintió nacer el deseo erótico hacia ella.

—¿Tomará un baño de burbujas antes?

Qué pregunta más inhabitual, pensó al principio, pero pensó que algunos clientes debían ser bastante tímidos y que otros vendrían sólo por el baño. Decidió hacer el papel de tímido o poco romántico y aceptó un baño. Ella le condujo al vestuario, pero en vez de desvestirse se dedicó a hacer preguntas.

—El cliente que acaba de salir... se llama Seiji Tanikawa, ¿verdad?

Estaba controlando el nivel del agua y se volvió hacia él con una mirada inquisitiva.

—¿Le conoce?

—Bueno, por lo menos se le parece. Ha sido algo embarazoso encontrarse con él en este sitio.

—Es cliente habitual mío. Dice que trabaja para una casa de fotografía.

—¿Viene muy a menudo?

—Dos veces por semana.

—Debe de tener bastante dinero, ¿eh?

—Oh, no lo sé. Se dedicará a las apuestas. Alguno de nuestros clientes viene todos los días, sabe. Deben enviciarse con los baños de burbujas.

—Yo diría que este cliente era más adicto a usted que a los baños de burbujas.

Se rió, y no a disgusto.

—No, nada de eso. Antes le atendía otra chica, y cuando se marchó la sustituyó por mí. Vine a trabajar cuando se marchó la otra chica, así que me lo colocaron. Fue un buen golpe de suerte.

—Tengo entendido que hay mucha gente que acaba abandonando este trabajo, ¿es verdad?

—Bueno, sí. Podríamos decir que éste es un trabajo con bastantes cambios. En cuanto abren un sitio nuevo todo el mundo intenta conseguir mejor salario yéndose allí. La gente se mueve muy rápido en este negocio. Yo llevo aquí seis meses, lo que me convierte en una veterana.

—Tanikawa es más viejo que usted, por lo que imagino que vendría desde mucho tiempo antes. ¿Sabe cuándo empezó a venir?

—Hacía poco. Me dijo que sólo había venido una vez antes de estar conmigo, y justo días antes. Dijo que había vuelto para ver a la misma chica, pero que se había despedido, así que se cambió a mí. Pero los hombres hablan mucho y no sé si sería cierto.

—Y usted, ¿cuándo empezó a trabajar aquí?

La chica volvió a tener sospechas.

—Está investigando algo, ¿verdad? —dijo sombríamente y abandonando el tono alegre—. ¿No será de la policía?

—¿Parezco policía? No. Es que me he metido a adivino —improvisó rápidamente—, y estoy investigando la relación existente entre el cumpleaños de una persona y el día en que cogen un trabajo determinado.

—No puede engañarme con ese cuento. Pero, si quiere saberlo, mi cumpleaños es el seis de febrero, y empecé a trabajar el día... Espere un momento —dijo, buscando en el bolso que tenía en un cajón y sacando de él una libreta—. El veintiuno de diciembre. ¡Oh, Dios mío! Ni un solo yen de propina ese día.

—¿Veintiuno de diciembre? Medio año.

—Eso es. Seis meses, y sin faltar un solo día. Cada día pienso en dejar el negocio —añadió con una mirada de desesperación—, pero, entonces, miro mi cuenta en el banco y recobro el ánimo al verla aumentar día a día. Cuando consiga mi meta, dejaré esto y me estableceré por mi cuenta.

Shinji la tenía ante sí y le miró las manos regordetas. Eran el cómplice inocente de los deseos del hombre. Esas manos regordetas...

Entonces fue cuando se le ocurrió.

Si la fecha que le había dado era correcta, y si Tanikawa no le había mentido, el primer día que estuvo en los baños turcos debió de ser el 19 de diciembre. ¡El día que asesinaron a Fusako Aikawa!

¿Era una coincidencia? ¿O tenía algún significado oculto? Sintió calor en aquel baño turco y una gota de sudor frío resbaló por su frente.

—¡Tengo que irme! —dijo rápidamente—. ¡Acabo de recordar que tenía que hacer algo! Lo siento.

—Pero, ¿y el masaje?

—En otra ocasión —dijo, dándole una principesca propina y marchándose.

Si tenía suerte, podría alcanzar a Seiji Tanikawa en algún restaurante de las cercanías.

4

Lo encontró en un triste café donde servían barbacoas de pollo y cerveza. Estaba en una calle estrecha que llevaba a la estación de metro, repleta de locales semejantes. El informe de la agencia no mencionaba ese sitio y tuvo mucha suerte al localizarlo allí agazapado ante el mostrador, mirando a la calle, vestido con su polo negro. Cuando Shinji le vio, estaba comiendo una brocheta y la salsa le resbalaba por la pechera. Ni siquiera se molestó en levantar la mirada cuando se sentó ante él. Estaba enfrascado en el pollo y la cerveza y, aunque no fuera así, no le hubiera visto. Estaba mirando al vacío.

—Hola, señor Tanikawa —dijo despertando al hombre, que derramó un poco de cerveza—. Me alegro de encontrarle —continuó Shinji.

—¿Quién infiernos es usted?

Shinji no contestó. Sonriendo misteriosamente, le miró a los ojos.

—¿Qué tal van las películas? —dijo, y supo lo que sentía un chantajista ante sus víctimas, porque vio cómo la cara se oscurecía y se paralizaba a medida que las palabras surgían de su boca.

—Le he preguntado quién diablos es usted —pudo soltar Tanikawa al fin.

Parecía que lo de las películas había funcionado. Shinji sacó la tarjeta de periodista y se la mostró.

—Un periodista, ¿eh? ¿Qué quiere de mí? ¿Y qué quiere decir con eso de «las películas»? —dijo, levantando la mirada de la tarjeta y mirando a Shinji.

—Bueno, nada en particular. Tengo entendido que usted se dedica a revelarlas. Eso es todo. Mi tema de hoy es sobre donantes de sangre y usted participó en la campaña para recoger sangre Rhesus negativo que se hizo el año pasado, ¿verdad? Tal vez no me recuerde, pero estuve allí.

Era un tiro a ciegas pero pareció llegar a buen destino. Una mirada de alivio reemplazó la de sospecha. Al fin y al cabo, aquel reportero no se ocupaba de sus películas ilegales.

—No puedo decir que le recuerde, pero es posible.

—¿Ha vuelto a donar sangre desde entonces?

—No, nunca.

—Tiene gracia. ¿No le llamaron del banco de sangre? Me dijeron que donó a mediados de enero.

—Yo no. Debió de ser otro.

Su cara era tan inexpresiva cuando contestó a la crucial pregunta, que no parecía que estuviera mintiendo.

—Lo siento, entonces. Debe haber sido un error en la redacción.

No había llegado a ninguna parte. Quizás en ese sitio no había peces que poder pescar con su red. O no tenía el cebo adecuado. O no tenía anzuelo al final del sedal. Se dispuso a marcharse.

—¡Eh, no irá a marcharse! Quédese a tomar un trago.

Shinji le miró. Ya hablaba deslabazadamente, y tenía los ojos rojos: el alcohol empezaba a hacer efecto. Sería un aburrimiento, pero no tenía prisa por ir a ningún sitio y podía quedarse un rato. La imagen de las manos de la chica del baño turco flotó ante sus ojos. Lo mejor que podía hacer era beber algo para borrarla.

—Muy bien. Me quedo.

—Esta ronda es mía —dijo Tanikawa, y gritó pidiendo cerveza.

—¿Viene muy a menudo? —preguntó, por decir algo.

—La verdad es que no. Voy a un baño turco que está al final de la calle.

—Parece interesante. ¿Qué tal están las chicas?

Al principio, dio la impresión de que no iba a contestarle. Levantó la jarra de cerveza a la altura de los ojos y miró el líquido ambarino. Entonces, viendo cómo ascendían las burbujas, empezó a hablar en tono autocompasivo.

—Visito una chica llamada Yasue cada tres días y maldito el bien que me hace. No hay amor, ni nada semejante. Sólo una transacción comercial. Se puede comprar cualquier cosa con dinero, ya sabe. Yo también lo sé, pero soy incapaz de controlarme. Creo que tengo miedo de parar. Por lo menos, así, mi vida tiene algún sentido. Sólo soy un maldito estúpido.

Estaba a punto de llorar. Bebió un largo trago de cerveza y continuó.

—Todo empezó por una mujer. Fue culpa suya, ¿entiende? ¡Maldita sea! ¡Qué falsa y cínica es la vida! Verá. Nunca había ido a un sitio como ése hasta finales del año pasado. Y en un día que no olvidaré nunca. El diecisiete de diciembre del año pasado. Era mí día libre y me acerqué a Kabuki-Cho en Shinjuku a ver una película. Luego me metí en una taberna. Y allí fue donde conocí a aquella mujer. Se me acercó y me habló y...

Su cabeza cayó repentinamente sobre el mostrador, haciendo que se derramara la cerveza y tirando la jarra al suelo, donde se rompió. La cerveza derramada se extendió por el mostrador y empezó a gotear al suelo.

—Permítame que le lleve a alguna parte —dijo Shinji apresuradamente.

Levantó al borracho y, tambaleándose bajo su peso, pagó la cuenta y se abrió camino al exterior.

¿Quién podía ser la mujer que acababa de mencionar? ¿Podía sacar algo de eso? En el fondo de su cerebro empezó a formarse una imagen de mujer.

Se tambaleó calle abajo cargando a Tanikawa, que no le ayudaba en nada y se limitaba a murmurar. «Esa mujer, esa mujer...»

Paró un taxi, metió a Tanikawa en el interior y se sentó a su lado. «¡A Mitaka!», dijo. Tanikawa se movía tanto que le puso la cabeza, apestando a brillantina, bajo la nariz y los pies en la blanca tapicería del coche.

Esto no gustó nada al taxista, y lo hizo saber con tono hiriente.

El coche arrancó y Shinji bajó la ventanilla para que le diera el aire a Tanikawa.

—¿Qué hicieron a continuación, la mujer y usted?

—Me llevó a un bar. Bebimos mucho y me dijo que se tenía que marchar, pero que quería volver a verme.

—¿Pagó ella las consumiciones? ¿O lo hizo usted?

—No, no. Ella lo pagó todo. Cuando se marchó, me dijo que trabajaba en unos baños turcos y que fuera a verla allí. Me prometió un buen servicio y me dio un papel con el nombre y la dirección del establecimiento.

—¿Aún la tiene?

—Sí. La llevo siempre conmigo. Échele un vistazo, ande —rebuscó en su cartera y consiguió sacar un pedazo de papel—. ¡Aquí lo tiene, por si no me creía!

Shinji leyó el papel. «Ven a las nueve de la noche de pasado mañana. No te olvides. Te esperaré. Kyoko.» Estaba escrito con lápiz, pero aún era legible. A un lado había dibujado un mapa que indicaba cómo llegar al Alibabá.

Las nueve de la noche del último 19 de diciembre. ¿Otra coincidencia? Al mirar el papel, se acordó de los mensajes que ponen las *call-girls* en los coches aparcados. El nombre, el número de teléfono y un mensaje tipo: «Si te sientes solo, llámame esta noche.»

—¿Y acudió? —dijo devolviéndole el papel.

—Por supuesto. Y fue algo maravilloso. ¡Tenía que haber visto cómo se portó! Y yo, como un estúpido, pensé que estaba interesada en mí. ¡Hasta se negó a recibir propina! Me dijo que volviera al día siguiente y yo volví, pero ya no estaba. Se había ido.

Arrugó el papel y lo tiró al suelo del coche.

—¿Qué clase de mujer era?

—¡Muy simpática! ¡Y cómo me miraba, con esos ojos tan grandes! Bastaba para hacerte suspirar.

—Ojos grandes. ¿Eso es todo? ¿No tenía nada especial? Algo que permitiera reconocerla, quiero decir.

—Oh, sí, sí. Tenía un lunar muy grande en la base de la nariz. ¡Resultaba muy sexy! ¿Puede encontrarla para mí? —gritó borracho, cayó en las rodillas de Shinji y empezó a roncar.

Shinji recogió del suelo el papel arrugado y lo deslizó en su cartera. ¿Quién podía haber sido esta mujer? Había emborrachado a un desconocido en un bar y había rechazado una propina, siendo empleada de un baño turco. Y, luego, desapareció. ¿Por qué? ¿Qué pretendía?

Ante él, la iluminada carretera brillaba bajo los faros del coche y parecía correr a su encuentro. Tendría que informar al viejo lo antes posible. El taxi torció al lado del Parque Inokashira, donde se conservaban los últimos árboles del bosque que en otros tiempos cubría Tokyo, y se metió por un camino empedrado que bordeaba el riachuelo de Mitaka. Pronto llegarían.

Dejaría al borracho en su casa y se dirigiría a ver a Sada, el vendedor de cosméticos.

De todos modos, le pillaba de paso.

5

La cafetería Dako estaba situada al final de una galería comercial. Era un sitio pequeño construido al final del pasillo, y no tenía más de dos módulos. Se llenaba con cinco clientes, y esta noche sobrepasaba su capacidad con varios hombres con zuecos y ligeros kimonos de algodón que no parecían tener ningún otro sitio al que ir. Una mirada a las toallas y pastillas de jabón revelaba que todos venían de los baños públicos. Del grupo destacaba un hombre que llevaba un traje normal de verano y era muy alto para la media japonesa: casi un metro setenta. Cuando Shinji entró en el local le localizó en seguida porque parecía hablar consigo mismo mientras movía sus largas piernas. Aparentaba tener problemas con las ventas, y la voz suave y bien modulada indicaba a las claras su oficio de vendedor a domicilio que vive de vender algo a las mujeres. Sus miradas se encontraron en el momento que Shinji abrió la puerta, y Sada se le acercó, mirándole astutamente. Se sentaron juntos en un rincón que acababa de quedar libre. El hombre se inclinó ligeramente.

—Hola. Siento no recordar su nombre.

—Fui a su apartamento, pero su esposa me dijo que le encontraría aquí, así que... —dijo mientras volvía a mostrar la tarjeta de visita de periodista.

—Sí. Me telefoneó para avisarme. —Sada exhibió su propia tarjeta mientras sonreía como si estuviera a punto de vender un bote de laca de uñas—. Gracias por venir... Estoy preparado para trabajar las veinticuatro horas del día —rezumaba educación.

—Para serle honesto, no he venido por eso. Quería información sobre donantes de sangre. ¿Le han llamado recientemente?

—No, hace bastante tiempo que no me llaman. Me parece un desperdicio. Soy un tipo muy sanguíneo y tengo más de la que necesito —dijo riendo su propio chiste malo.

—¿Qué me dice del último quince de enero?

Volvía a mencionar la fecha en que murió Mitsuko Kosigi, pero Sada le dijo que no había donado sangre desde hacía por lo menos un año. Parecía que también esta visita resultaba inútil y se disponía a marcharse cuando se le ocurrió que, ya que estaba allí, podía interrogarle acerca de su vida privada. Sada daba la impresión de ser un hombre al que le gustaba hablar, y parecía esperar más preguntas, mientras se humedecía el labio inferior.

—Su profesión debe de ponerle en contacto con gente muy dispar. ¿Tiene alguna historia interesante que contarme?

—La verdad es que no. Tengo una vida muy aburrida, ¿sabe?

—¿De verdad?

—Sí. La vida de un vendedor de cosméticos consiste en gastar suelas. Nada más. Ya sé que se cuentan un montón de historias sobre nosotros, pero no son ciertas, al menos en mi caso.

—¿Qué me dice, entonces, del asunto de las joyas, eh?

Shinji lo dijo sólo para bromear un poco pero pareció dar en algún blanco. Los saltones ojillos de Sada enturbiaron con la sorpresa, bajó el tono de voz y se acercó a Shinji, procurando, por todos los medios, que no le oyeran.

—¿Es detective? Sé de qué está hablando, pero no podemos comentarlo aquí. Vámonos a otro sitio. Hay una tienda de Sushi aquí al lado. Se llama Kawagen. Vaya allí y espéreme.

El tono de voz era amistoso, pero insistente.

Shinji decidió seguir con el asunto y salió del establecimiento sin haber probado apenas el café que le habían servido.

Estaba sentado ante el mostrador del «Kawagen» cuando llegó Sada.

—Lamento haberle hecho esperar —hizo un par de pedidos a la cocina situada tras el mostrador y volvió con Shinji—. Tuve problemas con la señora y, la verdad, no por culpa mía.

—Adelante.

—Bueno. Me llamó a casa. Supongo que conseguiría mi número por otro cliente. El caso es que me dijo que quería comprar algo de joyería. Bueno, es algo colateral a mi auténtico trabajo, ¿comprende? No es nada que me obligue a... Dijo que quería ver las piezas y me citó en una cafetería. Y, como siempre he dicho, el cliente es el que manda, así que fui a ver a un colega para que me pasara su fondo en préstamo.

Se interrumpió y pidió un atún sushi al tiempo que le ofrecía otro a Shinji.

—Bueno, el caso es que fui a la cafetería y empecé a pensármelo por el camino. Quiero decir, llevaba una pequeña fortuna en piedras, y no conocía a aquella mujer. ¿Y si me drogaba y robaba? Así que puse el muestrario en una consigna de la estación y llevé conmigo sólo dos piezas: el diamante más barato del lote y un ópalo. ¿Que por qué fui? Bueno, había algo especial en la manera de concertar la cita y me atraía bastante. Así que fui a la cafetería de Yurakucho y allí estaba, esperándome, vestida con un kimono. Era una belleza, y llevaba el kimono muy correctamente.

»Iba a mostrarle las joyas, pero me dijo que el lugar era demasiado público. Me dijo con rodeos que fuéramos a un sitio mucho más privado, y empecé a pensar que no me importaba que me engañara con las piedras si, a cambio, me daba un poco de placer. Era muy hermosa. Fuimos a un hotel en Sendagaya. Cuando llegamos aún no era mediodía, pero ya había muchas parejas esperando. Parece que estos sitios no cierran en todo el día. Da que pensar, ¿verdad?

Hizo una pausa para devorar dos sushi. Mirándole, Shinji pensó que era un hombre cuya boca nunca descansaba, ya fuera comiendo o hablando.

—Fuimos a una habitación y pidió ver las joyas. Me dijo que le gustaban las dos y me preguntó el precio. Yo estaba un poco confuso y le hice un buen precio por el lote para que las comprara ambas de golpe. Lo hizo y me pagó en metálico. Y, bueno, habíamos alquilado la habitación por dos horas y era una pena desaprovecharla, si entiende lo que quiero decir. Y además ella parecía dispuesta. Bebimos un poco de cerveza, nos desvestimos, y entonces...

—¿Sí?

—Entonces, nada. Me desperté y estaba tumbado en la cama, yo solo. Llamé a recepción y me dijeron que la mujer había salido hacía una hora y media. Eso me sobresaltó y empecé a mirar por si me faltaba algo, pero no. Tenía hasta los ocho mil yens que me había dado por las joyas. Era como si hubiera estado con un duende o un fantasma. Tenía la cabeza pesada y la garganta seca, así que me fui a casa y me metí en la cama. La cerveza no suele afectarme de esa manera, así que debía estar drogada. Al día siguiente le devolví el resto de las joyas a mi amigo, y descubrí que el diamante que había vendido era falso. Verá, es sólo algo ocasional. No soy ningún experto. Le aseguro que no tenía intención de estafarle. Créame, por favor.

Hizo una pausa para beber y siguió hablando:

—El dinero que me pagó por todo está intacto. Lo tengo en un sobre para devolverlo en cuanto sea posible. He intentado localizarla, pero no he podido.

La historia había terminado, y la coronó con una risa que a Shinji le pareció demasiado estudiada.

¿Estaba diciendo la verdad? Consideraría el asunto como una relación con una mujer casada y cogería el dinero sin remordimientos. Quizás había preparado el fraude con anterioridad montando esta historia para cubrir su estafa. De todos modos, ¿de qué manera podía relacionar esa extraña historia con el caso de Ichiro Honda?

—¿Cuándo tuvo lugar todo esto?

—Déjeme ver. Se lo puedo decir con toda exactitud —dijo el vendedor mirando una libreta de notas que sacó de un bolsillo—. El catorce de febrero.

El día anterior a la muerte de Mitsuko Kosigi... ¿Tendría alguna conexión? Seguramente, no. Se sintió decepcionado. Vació su taza de té para quitarse el sabor del sushi, y se disponía a salir cuando el vendedor volvió a hablar.

—Ya le he dicho que le devolveré el dinero. Y, para compensar, le daré una nueva crema que acaba de llegar de Francia. Tapa granos, pecas y hasta lunares. Es un producto importado y bastante caro, pero le daré un tarro totalmente gratis.

Shinji escuchó, manteniendo un silencio asombrado.

—Ya sabe. Me refiero al lunar que tiene en la nariz.

Shinji cogió mecánicamente un guijarro del mostrador y lo golpeó con un dedo sin apuntar a ningún tipo en particular. Golpeó algo y sonó hueco.

—Al principio lo escondía tras un pañuelo, sabe, pero eso es algo que atrae la atención más que si lo exhibes libremente. Un lunar no es un defecto que esconder. Es más, si no lo escondes puede ser hasta atractivo. Pero esta nueva crema le servirá para taparlo.

Sada terminó su alegre charla, pero Shinji advirtió que, debajo de la autocomplacencia de vendedor, estaba muy preocupado por el dinero y las joyas.

—¿Qué pasará ahora?

—Depende de como vaya el asunto, tendrá que presentarse como testigo en el juicio. Pero, francamente, no creo que tenga problemas. De momento, quédese con el dinero.

—¿Juicio? ¿Se refiere a un juicio por divorcio?

—Algo así.

Se levantó e intentó pagar la cuenta, pero Sada se lo impidió, colocándole una aceitosa mano chorreante de sudor en la muñeca. Shinji le permitió que pagara, le dio las gracias y se fue.

Llegó a la estación de Asagaya preguntándose qué querría decir todo aquello. ¿Cómo podía organizar aquel montón de hechos en algo coherente? Todo parecía tan inconexo... Le costaba pensar, con el húmedo calor de la tarde. Si Hatanaka estuviera con él... El viejo colocaría en su sitio las piezas del rompecabezas.

Después de todo, no era más que un investigador reuniendo hechos y datos para su jefe. Casi podía ver la cara del viejo, oler su cigarro.

Llegó a la estación de Asagaya y compró un billete para Shinjuku. Iba por el último nombre de la lista, tenía que entrevistar a un chico que trabajaba en un bar gay.

Le apetecía más irse a la cama a dormir, pero desechó la idea como hace un jugador que quiere pasarse la noche en vela.

6

La distancia desde la estación de Shinjuku hasta el Hanozono-Cho, donde estaba situado el bar gay, era bastante larga para recorrerla a pie. Cuando Shinji se encaminó al bar, la gente iba en dirección contraria. Chocó con una chica que, evidentemente, tenía prisa por coger el último tren y que le maldijo estentóreamente.

Cuando consiguió llegar a la avenida Toden, atravesó la enorme encrucijada y se dirigió al santuario de Hanazono cruzando el laberinto de calles trazadas como si fuera una parrilla por detrás del santuario. Era una zona donde se permitía la prostitución. Torció por una estrecha calle en la segunda intersección y se encontró en una selva de bares pequeños, cada uno de los cuales tenía entradas delanteras de apenas un metro de anchura y un neón frontal. Abundaban también las lámparas de papel y las entradas pintadas. ¿Cuál, de todos ellos, era su objetivo?

Ya era tarde, y la calle estaba desierta. No se oían voces de borrachos cantando en voz alta, ni ninguna mujer excesivamente maquillada intentó atraerle a un portal, como sería de esperar en esa zona. Se metió en uno de los garitos, atendido por una mujer de mediana edad ataviada con un delantal y preguntó cómo llegar a su objetivo.

—No tengo ni idea, pero puedes quedarte por aquí y tomar algo. Te presentaré a una chica guapa.

Estaba sentada, calentándose los pies en un brasero que parecía servir también de cenicero, pues estaba lleno de colillas y palillos rotos. Declinó la oferta y salió a toda velocidad. Al cabo de un momento miró atrás para ver si le seguía, pero no había ningún rastro de ella.

Parecía resignarse a su cubil y no salía a buscar clientes.

Sólo había otro sitio que diera señales de vida: un pequeño restaurante que, en el pasado, debió de ser un bar. De él surgían deliciosos efluvios de pescado a la brasa y sopa de judías fermentada. Shinji se dio cuenta de que aún no había cenado y entró. Había tres personas: un camarero fuera de servicio, identificable por la pajarita, y dos prostitutas. Le miraron al entrar, pero no debió de parecerles muy interesante, porque volvieron a sus palillos y cuencos.

Tras el mostrador trabajaba una pareja que rondaba la cincuentena y tenía aspecto de honrados. Los tomó por marido y mujer. Examinó el menú y encargó un cuenco de arroz salmón bañado en té caliente. Mientras fumaba un cigarrillo esperando que le sirvieran el plato, pensó en la cara de los cuatro hombres que había entrevistado. El médico interno, el peón, el técnico del laboratorio fotográfico, el vendedor de cosméticos... cada rostro se le apareció ante sí.

De los cuatro, dos no le habían contado nada de interés. Los otros dos habían hablado de una mujer extraña. Ninguno había donado sangre recientemente. ¿Querría decir esto que no había conexión alguna en el asunto de la sangre? Si era así, ¿por qué había estado tan interesada en la sangre AB Rhesus negativo la persona que llamó a los bancos de sangre? ¿Querría él o ella conseguirla? Shinji estaba desorientado.

El cocinero le trajo la comida y saboreó las algas y las semillas de sésamo con que lo habían condimentado.

Sólo quedaba uno: el chico del bar gay. ¿Sería su última carta? ¿Había estado jugando la baraja equivocada? Decidió que el asunto parecía una partida de póker.

Tomó el último bocado, muy cargado de rábano picante, y casi se atragantó. Bebió un poco de té rápidamente y le preguntó al cocinero el camino del Bar B.

—Está ahí mismo. Subiendo un piso —dijo, señalando un neón oculto tras los aleros.

Pagó su cuenta y se preparó a subir la estrecha escalera. Era tan escarpada y daba tantas vueltas que estuvo a punto de caerse, pero, afortunadamente, se ensanchaba al llegar al primer piso. El sitio estaba ocupado por cinco clientes que parecían pederastas. Se dirigió a la barra y un chico de pelo rizado se le acercó.

—¿Qué desea?

—Una cerveza.

—Sí, señor, naturalmente, señor, espere un momentito —dijo con gesto coqueto, y se alejó.

Tras el mostrador, había otros tres jóvenes. Todos vestían de la misma manera, con similares camisas a rayas y corbatas estrechas. Se apoyaban en la barra, flirteando con los clientes y moviéndose sensualmente al ritmo de la música. Todos llevaban tejanos ajustados que parecían esculpidos en sus traseros. ¿Cuál de ellos sería Nobuya Mikami? No tenía ni idea, era el único cuya fotografía no tenía. O el investigador estaba demasiado embarazado para sacarle una foto, o habían supuesto que contactaría por teléfono.

Tal vez había sido un error ir allí, reflexionó sorbiendo la cerveza. Sus motivos podían ser malinterpretados. Sacó un cigarrillo, y el chico que le había atendido se lo encendió. Tenía una «A» dorada bordada en la corbata.

—Me llamo Akiko —dijo señalándose la inicial—. ¿Cómo está?

Así que llevaban las iniciales en las corbatas. ¿Y si...? Pero ninguno llevaba una «N». Nobuya Mikami debía de estar con algún cliente. ¿Volvería si le esperaba?

—¿Trabaja Nobu esta noche?

—¡Ah! Es a Nobu a quien quiere. Lo siento. Ha salido con un cliente a tomar una tacita de té en compañía, ya me entiende. Ya le conoce, sabrá lo creído que es. Hará lo que sea si le pagan.

—¿De verdad? ¿Quiere decir que es todo un profesional?

El chico se rió y un hombrecito afeminado sentado cerca de Shinji se volvió y le miró a través de los gruesos cristales de sus gafas.

—¡Ay, dios mío! ¡Lo siento mucho! ¿Usted también está interesado en Nobu? Pues tenga cuidado. Puede llegar a ser una molestia, tiene un corazón de piedra. Y todo porque una vez le contrató un hombre en un hotel y le dio diez mil yens por sólo una hora. Desde entonces se lo tiene creído.

—¡No me diga! —intervino otro cliente—. ¡Qué chico! ¿Y cuándo pasó eso?

Shinji encontró que su intervención era de lo más oportuna.

—Hace seis meses. El día de su cumpleaños. Vino su principal cliente y dijo que había que celebrarlo a lo grande y que él pagaba todo. Entonces se recibió la llamada y Nobu dijo que se marchaba, que «el trabajo siempre es lo primero». ¡Hasta Mami-San estaba disgustada con él esa noche! Volvió al cabo de una hora diciendo que había tenido que reponer fuerzas en el restaurante de un hotel comiéndose un filete. ¡Qué mentiroso! Todo el mundo sabe que a esa hora los restaurantes de los hoteles están cerrados. ¡Era una fantasmada! Como si él fuera capaz de pagar por un filete.

Es tan tacaño que no regalaría ni un pañuelo de papel.

—Un cliente que le dio diez mil yens. ¡Ya me gustaría encontrar uno así!

—Pero sólo llamó esa vez. Nobu espera que le vuelva a llamar, pero no lo hará. ¡Recuerde lo que le digo! Una vez basta con esa vaca. No tiene ningún sentido de lo que es el servicio. Por eso acaban dejándole todos sus clientes.

Era Akiko, conocido con el diminutivo «Attchan», quien insultaba así a su rival. A Shinji le daba la impresión de que Nobu le había robado algún cliente. Durante treinta minutos, siguió sentado, escuchando comentarios similares, salpicados con algún intento de Attchan de ligar con el cliente vestido de rosa, sin que Nobu diera señales de vida. Tal vez fuera mejor telefonear más tarde. Pagó trescientos cincuenta yens por una cerveza y frutos secos, y se marchó.

Pero, al llegar abajo, constató que estaba lloviendo y decidió esperar allí hasta que amainara. El agua formaba charcos en el asfalto, reflejando el letrero de neón del bar. Encendió un cigarrillo y miró al furioso diluvio. No había un alma a la vista.

Un taxi se paró donde terminaba el asfalto y de él salió corriendo un hombre que se cubría la cabeza con la chaqueta. Se dirigió hacia donde estaba resguardándose Shinji, y éste pudo ver que se trataba de un empleado del Bar B. Le miró con gesto travieso. Su cara era afeminada, con la suave redondez propia de los rostros infantiles. En la corbata tenía la inicial «N».

—Nobu, supongo. Te estaba esperando.

—Siento hacerle esperar con esta lluvia. ¿No quiere subir?

—No, gracias. Ya he estado arriba. Debería estar ya de vuelta en casa. Sólo un par de preguntas.

Sacó un billete de mil yens de su cartera y lo dobló antes de deslizarlo en el bolsillo de Nobu.

—Soy abogado. Me encargo de un asunto de donaciones de sangre. ¿Has donado recientemente?

—No.

—¿Estás seguro?

—Sí. Últimamente estoy algo anémico. ¿Está buscando, entonces, sangre tipo Rhesus negativo? ¿Para qué tipo de operación es?

Shinji negó con la cabeza. Su comodín se había vuelto inútil. Era ya el momento de rendirse.

—De todos modos —continuó el joven—, en mi último cumpleaños prometí no volver a donar sangre. Suelo tomar una decisión importante en cada cumpleaños. El año que viene lo mismo decido dejar los bares de gays.

—¿Y cuándo es tu cumpleaños?

—El quince de enero.

El quince de enero... el día que asesinaron a Mitsuko Kosigi. Y el chico había dicho que...

—Has dicho que había pasado algo interesante el día de tu cumpleaños. ¿Qué fue?

—Yo no he dicho nada de eso.

—Perdón. Lo ha dicho Attchan.

—Oh, bueno. En realidad, no fue muy agradable. Attchan está celoso y... Quiero decir que sí, que me pagaron muy bien aquel día, ¡pero qué cliente más raro me tocó! Me llamaron por teléfono y acudí a un hotel. Primero me hizo tomar un baño, pero él no se quitó nada de ropa. Es más, llevó guantes todo el rato. Un tipo bajito con una voz como acolchada. Y lo hizo a oscuras. Apenas había encendida una lucecita en la habitación. A mí no me parece que sea romántico hacerlo a oscuras, ¿no crees?

—¿Y te dio diez mil yens?

—Así es.

La lluvia había disminuido. A lo lejos se tambaleaba un borracho, acompañado de una ramera. Y nadie le había sacado sangre al chico. Todos los esfuerzos del viejo, los cuidadosos listados de donantes y las investigaciones en los bancos de sangre habían sido inútiles. Todo el tiempo gastado en investigaciones e interrogatorios no servía para nada.

—Gracias —dijo débilmente.

—¿Eso es todo lo que quiere de mí? —respondió guiñándole lascivamente el ojo y golpeándose el bolsillo que contenía los 1.000 yens—. Entre nosotros, le diré que todos los hombres con lunares son un poco anormales. El cliente de esta noche tenía un gran lunar al lado del ombligo. Desagradable, ¿verdad?

La lluvia cesó del todo, y Shinji se alejó sin decir palabra. Apenas había dado unos pasos por la estrecha callejuela cuando comprendió lo que había dicho el chico. Dio media vuelta y alcanzó a Nobu en las escaleras.

—Has dicho «lunar» —resopló—. ¿Quiere decir eso que el cliente de tu cumpleaños también tenía un lunar?

—Sí. Uno muy grande en la base de la nariz.

Miró a Shinji y se señaló la nariz sugestivamente.

—¿Estás seguro de que el cliente era un hombre? ¿No pudo ser una mujer disfrazada?

El chico pestañeó, sorprendido ante la pregunta, pero acabó respondiéndole:

—No tengo ni idea. Es posible. Tengo un montón de clientes raros, pero no me preocupa mientras me paguen. Pero, si era una mujer, no tengo ni la más remota idea de qué podía querer de mí.

Se dio la vuelta y subió las escaleras meneando las nalgas enfundadas en los ajustados vaqueros. Shinji estaba paralizado por la sorpresa. Todo empezaba a aclararse.

De cinco personas poseedoras de un raro grupo sanguíneo, dos habían tenido extraños encuentros con una mujer que tenía un lunar en la nariz. En cada caso las circunstancias eran diferentes, pero las tres citas habían tenido lugar el mismo día que se cometía cada asesinato. O el día anterior, o... No lo había pensado hasta que oyó las últimas palabras del chico. Tres lunares en tres narices conectándose en una sola línea... ¿Quién podría ser aquella mujer del lunar en la nariz? ¿Qué pretendía? Las preguntas desfilaban por su cerebro.

Se alejó rápidamente de aquel barrio de mala muerte. En la calle principal, buscó un teléfono.

7

Entró en una cafetería y marcó el teléfono del viejo. La doncella le respondió que aún no había vuelto a casa, «ni siquiera ha dicho adónde iba», se quejó.

¿Dónde podría estar a esas horas de la noche? Shinji decidió esperar que volviera a casa, y se sentó en un rincón, pidiendo una taza de café. Un par de asientos más allá, había un grupo de jóvenes modernos aparentemente liderados por una mujer que se había pintado los labios de blanco. Adoptaba poses extravagantes, y echaba unas tabletas blancas en la cerveza. Shinji les ignoró, sacó la libreta del bolsillo y empezó a transcribir sus conclusiones.

1. Primer asesinato. (5 de noviembre.)
Kimiko Tsuda.
No se ha descubierto nada relativo a este día.

2. Segundo asesinato. (19 de diciembre.)
Fusako Aikawa.
Este día, Seiji Tanikawa, de la casa fotográfica, visitó por primera vez los baños turcos por invitación expresa de una mujer que tenía un lunar bajo la nariz.

3. Tercer asesinato. (15 enero.)
Mitsuko Kosigi.
Nobuya Mikami (del bar gay) acudió a una cita con un cliente al que no había visto nunca. El cliente descrito era un hombre bajo de voz apagada. También tenía un lunar en la nariz.

4. Suceso desconocido. (14 de enero.)
¿Víctima?
No se ha informado de ningún asesinato acaecido este día. De todos modos, este día, el vendedor de cosméticos le vendió joyas falsas a una mujer con la que se citó en un hotel de Sandagaya. Esta mujer, con aspecto de casada, iba vestida con un kimono y también tenía un lunar en la nariz.
Los puntos en común que se evidenciaban en los tres casos eran los siguientes:

1. Un lunar muy característico en el lado derecho de la base de la nariz.
2. Una sola aparición cada vez, antes de desaparecer.

3. Sólo se acercaba a personas con grupo sanguíneo AB Rhesus negativo.

Shinji releyó lo que había escrito y reflexionó sobre ello. Pese a que el chico gay dijo haberse encontrado con un hombre, su descripción daba pie a pensar que podría tratarse de una mujer disfrazada. Por encima de todo seguía estando el lunar.

Era lógico suponer que se trataba de la misma persona en los tres casos.

También lo era pensar que se trataba de la misma persona que había llamado a los bancos de sangre preguntando por un tipo de sangre muy especial.

¿Qué había tras las acciones de esa misteriosa persona?

¿Por qué se citaba con hombres que tenían AB Rhesus negativo el día o la noche anterior a los asesinatos?

Supongamos que los tres hombres dijeran la verdad y que ninguno de ellos cedió sangre. ¿Cuál era, entonces, su intención al concertar las citas?

Siempre había efectuado contactos relacionados con el sexo.

Eso nos daba...

¿Y si el objetivo era el semen, en vez de la sangre? Eso ya empezaba a tener sentido.

Una asesina... recogiendo secreciones de hombres... para colocarlas en los cuerpos de sus víctimas... ¡Era muy morboso! Si fuera un psicopatólogo podría sacar conclusiones y explicar esa retorcida mente asesina, pero era abogado y no tenía ninguna teoría. Se horrorizaba al pensar en una mujer que recogía el esperma con sus frías manos para depositarlo a continuación en los cuerpos de las mujeres que acababa de estrangular. ¿Podía haber sido una mujer, en vez de un hombre, ¿quien había inculpado a Ichiro Honda?

Miró otra vez la lista. No había ninguna aparición con motivo del primer asesinato. ¿Habría visitado él, o ella, a alguien con ese oscuro grupo sanguíneo? Tuvieron que ser o el peón o el médico interno. ¿Cuál de los dos le había mentido?

Mediante un proceso de eliminación tachó de la lista al peón. Parecía el más improbable, especialmente si el asesino era una mujer. Rememoró la escena del café Pájaro Azul, cuando tenía ante sí el pálido rostro de Yamazaki. ¿Qué le había dicho cuando le hizo preguntas sobre la sangre? «La sangre es un tema aburrido hoy en día.» ¿Qué había querido decir? Shinji se dio cuenta repentinamente.

¿No había hablado Yamazaki de una entrevista de una revista de segunda fila... sobre el tema de la inseminación artificial? ¿Sería una pista? ¿Habría recibido también la visita de la mujer del lunar? ¿Cuál podría ser el eslabón entre él, su grupo sanguíneo, la mujer del lunar y el caso Honda?

Quizá la sentencia de muerte de Honda le ocasionaba remordimientos de conciencia y por eso no le había dicho nada de... ¿de qué? De donaciones de esperma. Shinji estaba seguro de que Yamazaki podría llenar el espacio en blanco que quedaba en su libreta. Le visitaría en el hospital al día siguiente.

Apuró el café tibio. Aún quedaba una pregunta por responder. El vendedor de cosméticos se encontró con la mujer del lunar el 14 de enero. Si no estaba mintiendo y la mujer no le había recogido esperma, ¿qué le había quitado? La única respuesta posible era: sangre.

Cuando yacía inconsciente en la cama, la mujer le sacó sangre.

Eso era. Tenía sentido. La teoría del viejo de que el criminal había sacado sangre de esos hombres era correcta. Y la cosechadora había sido una mujer con un lunar bajo la nariz.

Repentinamente se sintió cansado. Volvió a llamar al viejo, pero aún no había vuelto. Pagó y se marchó.

Ya en la calle, pensó en el vacío apartamento al que se dirigía, donde no le esperaba nadie. Y pensó en las regordetas y blancas manos de Yasue, la chica del baño turco, y en la delicada nuca de Michico Ono cuando caminaba ante él en la mohosa biblioteca.

Meneó la cabeza para sacudirse esos pensamientos, y caminó pesadamente hacia la estación.

EL LUNAR NEGRO (1)

1

La sala de espera que había a la entrada del hospital estaba atestada de pacientes cubiertos de vendas y madres que consolaban a sus niños. Acababan de abrir, y Shinji esperaba al doctor Yamazaki sentado en un banco de madera. Una niña, con el pelo muy corto, sentada a su lado, le manchó los pantalones con sus dedos pringados de caramelo. La madre le dijo que no hiciera eso mientras miraba fijamente al vacío.

Apareció Yamazaki. Era alto y elegante, y llevaba la bata blanca con distinción, con una mano en un bolsillo y la pechera desabrochada. «Un tipo con clase», pensó Shinji. Se levantó para saludarle.

—Gracias por concederme la entrevista de ayer.

—No hay de qué. ¿Por qué ha vuelto hoy? Soy una persona ocupada, ya sabe.

—Sí, soy consciente de ello. No le entretendré mucho. Ayer le dije que era periodista, pero le mentí. Soy abogado —dijo mostrando su auténtica tarjeta. El interno la miró con interés.

—Me encargo de la defensa de Ichiro Honda. ¿Sabe, por casualidad, cuál es su tipo de sangre?

—Sí, por los periódicos. Es el mismo que el mío.

—Estamos convencidos de su inocencia. Creemos que la sangre AB Rhesus negativa que se encontró en las uñas de las víctimas no es suya. Lo mismo reza para el esperma.

—¿De verdad? ¿Insinúa que la sangre es mía?

—La sangre, no. El esperma.

El interno se quedó sin habla un momento, miró a Shinji y se rió escandalosamente. La risa sonaba falsa.

—Muy interesante. ¿Por qué está tan seguro?

—Bueno. Ayer me dijo que le habían hecho una entrevista sobre el tema de la inseminación artificial, ¿verdad? ¿Tiene experiencia en el asunto?

—Sí, soy uno más de los estudiantes del hospital que son donantes. Somos tres, a veces hasta cuatro o cinco, pero los nombres son confidenciales y nunca sabes si van a utilizar tus donaciones o no. ¿Qué diablos tiene que ver todo esto con Ichiro Honda?

—Tengo razones para creer que hizo usted una donación el 5 de noviembre del año pasado.

—Espere un momento —Yamazaki consultó su agenda de bolsillo y negó con la cabeza—. No lo tengo anotado, y mis recuerdos del año pasado no son muy buenos. Creo recordar que hice una donación en octubre, pero no estoy muy seguro.

—¿Y dónde se efectuó la donación?

—Aquí, por supuesto.

—¿Cómo suele efectuarse?

La débil sonrisa desapareció del rostro de Yamakazi. Estaba visiblemente ofendido.

—No veo por qué debo entrar en detalles... no sé qué tiene de... Oh, bueno, supongo que no importa que se lo diga. Utilizamos un tubo de ensayo.

—¿Y quién recoge las probetas? ¿Una enfermera?

—No. Habitualmente se las damos al Registrador en persona.

Mientras hablaban, se habían alejado de la multitud

y estaban frente a una ventana, cerca de los vestuarios. Un observador casual hubiera pensado que mantenían una conversación de lo más animada.

—Mire. La vida de un hombre depende de esto. No tiene por qué ir al juzgado a testificar si no quiere, pero, por favor, dígame la verdad. El cinco de noviembre o en fecha aproximada... ¿Le dio usted un tubo de ensayo con esperma a alguna persona que no fuera el Registrador? ¿A una enfermera algo peculiar?

Una brisa helada silbó por entre los árboles del exterior y se coló por la ventana. Kotaro Yamazaki le había dado la espalda a Shinji, haciéndole pensar en todo lo que implicaba ese gesto de rechazo. Tras una pausa, Yamazaki se volvió y miró a Shinji a los ojos.

—¿Cuánto cree que me paga el hospital? —dijo al fin, en voz baja y desafiante.

Shinji no respondió.

—¡Nada! ¡El hospital no te paga nada, no le importa la cantidad de trabajos que realices! Tienes que ser rico para poder graduarte como doctor. La mayoría de los internos son hijos de médicos y pueden permitirse trabajar gratis como esclavos. No estoy quejándome, sé que las cosas son así. Sólo quiero decir que es más fácil conseguir el título si eres rico, si eres hijo de médico como todos los demás. Quiero que comprenda la posición de los que lo intentamos por nuestra cuenta. Y sí, si quiere saberlo, le diré que que vendí un tubo de semen por diez mil yens el cinco de noviembre del año pasado.

—¡Diez mil yens! ¡Eso es mucho dinero! ¿Cuál es la tarifa habitual?

Yamazaki volvió a darle la espalda.

—Quinientos o mil —murmuró por encima del hombro, como justificándose.

—¿Y cómo era esa persona? La que recogió la probeta.

—Una enfermera normal, con uniforme blanco. Creo que fue por la tarde. Acababa de comer y me identificó en el pasillo. Me ofreció todo ese dinero por hacer una donación urgente con la máxima discreción. Acepté sin pensarlo. Quiero decir que diez mil yens... Y, de todos modos, no era una petición muy inhabitual.

La enfermera había esperado a que terminara y se había ido. Dijo pertenecer a la clínica de obstetricia de Setagaya.

—¿Le pagó sin problemas?

—Sí, en un sobre marrón que me entregó con el tubo de ensayo.

—¿Qué hizo con el sobre?

—Tirarlo.

—¿Puede recordar qué aspecto tenía la enfermera?

—No tenía nada especial. Era pequeña, y el uniforme la volvía anónima. Cuando se dio la vuelta me fijé que tenía el pelo recogido bajo el gorro.

—¿Tenía un lunar debajo de la nariz?

—Ahora que lo menciona, sí que lo tenía. Era muy grande. Al principio no lo vi, llevaba una mascarilla.

Así que la mujer del lunar también había estado allí. Y recogió semen. Sus propósitos criminales se hacían ahora evidentes.

—¿Se la quitó?

—Sí, se disculpó por estar resfriada y se sonó la nariz. Entonces fue cuando se bajó la mascarilla y pude ver el lunar.

Por mucho que intentara esconder el lunar, siempre conseguía atraer la atención sobre él. ¿Estaba el criminal luchando una batalla perdida con el destino?

—¿Le dio la impresión de que fuese disfrazada?

—En absoluto. Un uniforme blanco en un hospital es la cosa más corriente del mundo.

—¿No le pareció raro que viniera de tan lejos a recoger el semen?

—No. Podía haber venido en taxi.

—¿Suelen guardar las donaciones en secreto?

—Así nos han dicho nuestros profesores. Es una buena regla, ¿no cree? ¿Puedo marcharme ya? No me gusta hablar de lo que ya está hecho.

—Sí, claro. No se preocupe, todo lo que me ha dicho se mantendrá en el más estricto secreto. Pero, permítame una última pregunta. Ayer me dijo que lo de las donaciones de sangre eran un tema superado y que las de esperma eran las que interesaban ahora. Incluso mencionó una entrevista que le habían hecho. La verdad, me pareció que hablaba con evasivas. Quiero que sea totalmente franco conmigo. ¿No se le ocurrió pensar que podía haber alguna conexión entre este incidente y el caso de Ichiro Honda? ¿No le pareció que era algo más que una coincidencia que la fecha fuera la misma en que violaron y mataron a Kimiko Tsuda?

—Ni por un minuto. A su hipótesis le falta base científica —respondió, mirándole con desdén—. Los seres humanos se dividen en secretores y no secretores. Sólo en el caso de los secretores el semen y la saliva tienen el mismo tipo que la sangre. Y yo no soy secretor, así que mi semen y saliva son de tipo cero en vez de AB. Y, si no me cree, pregúntele a un experto.

Shinji hizo un último intento de pillarle en renuncio.

—¿Y cómo sabe que pertenece al grupo de los no secretores? La mayoría de la gente no puede saberlo.

—Solemos hacer experimentos en el laboratorio

forense de la Universidad, e hicimos una prueba con un cigarrillo que acababa de fumar. ¿Sabe que podemos detectar el tipo de saliva con sólo la tercera parte de la cantidad que se utiliza para pegar un sello? Por eso lo sé.

Sin mediar ceremonia alguna se dio la vuelta y se alejó por el pasillo a grandes zancadas.

¿Sería cierto? ¿Podía no pertenecer a Yamazaki el semen encontrado en el cuerpo de la primera víctima? ¿Estaba equivocada su teoría de la mujer del lunar? Su hipótesis, que había creído fiable en un noventa y nueve por ciento, estaba a punto de derrumbarse. Pero, entonces, ¿por qué se habría molestado la mujer del lunar en recolectar el semen de Yamazaki?

Shinji sentía que aún continuaba dando palos de ciego.

2

Shinji terminó su informe, pero el viejo no levantó los ojos. Contemplaba el pedazo de papel que le había dado la mujer de los baños turcos a Tanikawa. ¿Estaba satisfecho el viejo porque las cosas habían salido como esperaba? ¿Estaba impresionado, o meramente satisfecho? ¿No había un enorme agujero en su teoría con lo del asunto de los tipos secretores y no secretores?

—El hecho de que Yamazaki no sea de tipo secretor, y que sus fluidos sean de tipo cero, no tiene importancia —dijo Hatanaka lentamente—. De hecho prueba que la mujer del lunar usó ese esperma.

—¿Cómo?

—Si relee la transcripción del juicio, descubrirá que, originalmente, el semen encontrado en el cadáver de Kimiko Tsuda fue clasificado como de tipo cero. Un análisis posterior hizo que lo reclasificaran como AB, pero el juez lo sobreyó por las dudas concernientes a la culpabilidad del acusado en lo que a este crimen se refiere. Resulta evidente que la clasificación original era la correcta y que el semen debía ser de tipo cero.

—Pero eso es algo que se comprueba científicamente y no puede ser corregido.

—Nada de eso. La evidencia aportada por los expertos es tan discutible como la otra. Dos personas diferentes pueden llegar a dos conclusiones distintas.

—¿Está convencido, entonces, de que la mujer del lunar es la persona que ha inculpado a Ichiro Honda?

—¿Existe alguna duda? Estoy totalmente convencido de que fue esa mujer la que recolectó el semen y la sangre, y la colocó en los cuerpos de las mujeres. Y lo que es más, tengo pruebas de que son crímenes premeditados con mucha antelación. La noche pasada, acudí al Bar Boi de Shinjuku...

Los ojos del viejo eran como telones de un teatro. Hizo una pausa y encendió un nuevo cigarro.

—Voy a contarle una historia. Una noche de verano, hace ya dos años, Ichiro Honda estaba en ese bar cantando *Zigeuner Leben*. Una chica se unió a él y cantaron juntos. Acabaron pasando la noche juntos.

—¿A dónde fueron? ¿A un hotel?

—Probablemente, pero es un detalle sin importancia.

Shinji sintió que la intriga aumentaba en su interior, al tiempo que le disgustaba la promiscuidad de Honda.

—Ahora voy a contarle otra historia. Seis meses después se suicidó una operadora de centralita. Saltó desde una ventana del edificio en que trabajaba.

Aspiró profundamente el humo de su cigarro, expulsando a continuación la nube de humo en dirección al techo.

—Las dos historias tienen relación, porque la chica es la misma en las dos. La chica que se suicidó y la que se acostó con Honda tras cantar el *Zigeuner Leben*, son una sola y la misma: Keiko Obana, de diecinueve años.

—¿Fue Honda el causante del suicidio?

—No. Se volvió neurótica por culpa de una enfermedad laboral.

Shinji escuchaba con atención, pero, en lugar de la operadora de centralita, pensaba en su antigua amante, la bibliotecaria. También se había acostado con Ichiro Honda, ¿verdad? Pensó amargamente en su cliente.

La voz del viejo parecía provenir de muy lejos.

—Keiko Obana tenía una hermana mayor que ella —la voz de Hatanaka era como el zumbido de una abeja que se oye en la distancia—. Ayer, cuando me habló de Keiko Obana, sentí el impulso de ir al bar. Cuando llegué me senté en un reservado del segundo piso, y al poco oí los arpeos de un violín, tal y como me los había descrito Honda. Me acerqué al músico y le pedí que tocara *Zigeuner Leben*. El violinista, un viejo calvo, cambió de expresión al oír mi petición.

Hatanaka abrió, al fin, los ojos y miró fijamente a su ayudante. La voz del viejo adquirió un tono de urgencia que no le había oído con anterioridad.

—El músico me miró con gesto socarrón y me dijo: «A los clientes del Boi, les gusta mucho esta canción, ¿verdad, señor?» Le pregunté qué quería decir y me respondió lo siguiente: «Ahora me contará que había una chica delgada en el piso de arriba que cantó esa canción a dúo con un homnbre que estaba en el piso de abajo. ¿Verdad que sí?» —El viejo tiró la colilla de su cigarro, antes de continuar—. Le pregunté si alguien se lo había preguntado antes, y me respondió que una mujer, hacía cosa de un año.

Shinji sintió que la luz del sol iluminaba el agujero en el que hasta entonces estaba metido. Miraba los labios del viejo como un jugador mira al que lleva las apuestas. Era como si quedaran sólo dos cartas por descubrir y pudieran ser iguales.

—Le pregunté si podía describirla. Sólo pudo decirme que tenía un lunar en la base de la nariz. El resto de la cara lo tapaban unas gafas de sol y un enorme sombrero.

El silencio dominó la estancia. ¿Qué querría, un año atrás, la mujer del lunar? Seguro que el viejo tenía razón, pensó Shinji. Estaba preparando la trampa para Ichiro Honda.

—¿Qué quería del violinista la mujer?

—El nombre de la persona que había cantado con la chica y qué otros bares solía frecuentar.

—¿Y de eso hace un año?

—Sí. Cuatro meses antes del asesinato de Kimiko Tsuda en Kinshi-Cho.

—¿Y quién cree que es la mujer?

—No lo sé, pero lo sospecho. Una pariente de Keiko Obana, supongo.

—¿La hermana era su único pariente?

—Sí. He leído todo lo que publicaron los diarios sobre el suicidio. Vivía con ella en un apartamento de Omori. He enviado para allá un detective a ver si saca algo.

Shinji contuvo el aliento. El gabinete legalista Hatanaka había encontrado la pista que le permitiría defender a Ichiro Honda. Parecía evidente que existía una conexión entre la suicida y los asesinatos. Repasó mentalmente las tres caras: la del trabajador del laboratorio fotográfico, la del vendedor de cosméticos y la del prostituto homosexual. Ahora, tenían que conectar los sucesos desagradables de la vida de estos tres hombres que compartían el mismo grupo sanguíneo de Honda, y probar así su inocencia.

El viejo había vuelto a cerrar los ojos, como si durmiera, cuando sonó el teléfono del despacho. El viejo estaba preocupado, y le temblaban las manos al coger el auricular.

La conversación fue casi un monólogo en el que Hatanaka intercalaba algún gruñido ocasional. Con la mano derecha, escribía apresuradamente algo en el bloc que tenía en el escritorio. Colgó el teléfono y descansó un poco con los ojos cerrados. Shinji le conocía lo bastante como para no interrumpirle. Al rato, el viejo abrió los ojos y encendió un puro nuevo.

—La hermana de Keiko Obana abandonó el piso de Omori el pasado septiembre. Nadie sabe adónde se fue, sólo que se mudó. Todos los vecinos la describen de la misma manera, como una mujer que tiene un gran lunar en la nariz.

—Entonces, la tenemos, ¿no?

—No. Además de localizarla, tenemos que descubrir el móvil, y demostrar cómo se cometieron los crímenes —dijo el viejo con su acostumbrada prudencia.

—Debe de creer que su hermana se suicidó porque Honda la abandonó.

—Eso espero.

—Así que sólo nos queda localizar a la hermana.

—Eso puede resultar difícil, pero estoy de acuerdo con usted en que no tenemos otra alternativa.

La voz del viejo sonaba cansada y Shinji comprendía por qué. La persona capaz de tan maquiavélico plan para atrapar a Ichiro Honda no debía de tener muchos problemas en desaparecer una vez cumplidos sus propósitos. Si no conseguían probar la inocencia de Honda y lo ejecutaban, ¿disfrutaría el auténtico criminal con su éxito? ¿O se habría suicidado para entonces?

El viejo miró a Shinji.

—Me gustaría que fuera a la comisaría que se encargó del suicidio de Keiko Obana —dijo, medio disculpándose.

3

La estación de policía M estaba en un edificio gris. Shinji se presentó al oficial de guardia y le hicieron esperar un rato sentado en un banco de madera. El jefe de la comisaría que se había encargado del caso de Keiko Obana estaba hablando con los familiares de un hombre que se había ahogado en el foso que bordeaba el Palacio. Cuando apareció, venía acompañado de una matrona de ojos enrojecidos por el llanto y un niño colgándole de la espalda. «Pobre niño», pensó Shinji reflexionando que los que se quedan atrás son los que más sufren.

El comisario le saludó amablemente y le condujo a su despacho, pero cuando le explicó el motivo de su presencia allí, el rostro se le endureció y cruzó los brazos.

—Es cierto que en esta comisaría nos encargamos del caso de Keiko Obana, una telefonista de la compañía K de seguros, y en su momento declaramos oficialmente que el motivo del suicidio fue una neurosis provocada por una enfermedad laboral.

A medida que hablaba, sus ojos evitaban los de Shinji, mirando a las paredes o por encima del hombro de éste, como si se dirigiera a un auditorio más amplio. Shinji pensó que era un hombre íntegro al que no le gustaba mentir.

—Sí, ya lo sé. Resulta muy interesante, pero puede decirme algo que no esté en la versión oficial. Confidencialmente, por supuesto.

El comisario titubeó un momento y acabó decidiendo que lo mejor sería contar la verdad.

—Hay algo que no hice público bajo mi propia responsabilidad. Keiko Obana estaba embarazada de seis meses cuando murió. No lo comuniqué a la prensa. Ya puede figurarse por qué.

—¿Se lo contó a alguien?

—A su hermana, cuando vino a reconocer el cadáver.

—¿Y sabía quién era el padre?

—Parece ser que fue un hombre que conoció en un café o un sitio así.

Hacía tanto tiempo del asunto que el hombre, desconfiando de su memoria, no quiso seguir hablando sin mirar los informes del momento. Se acercó a un archivador y Shinji se quedó pensativo: «Así que, además, Keiko Obana había quedado embarazada de Honda. Eso sí era motivo bastante para vengarse de él. ¿Cuánta gente habría que no perdonaba una cosa semejante? ¿Cuántos que no le perdonarían nunca?

Imaginó a la hermana en aquella habitación, quizás

en aquella misma silla, dos años atrás, oyendo por primera vez que su hermana muerta estaba embarazada. ¿No decidiría vengarse en ese mismo momento? ¿Habría disminuido su ansia de venganza en las largas noches y amaneceres de la espera? Quizá los lazos amistosos o familiares provocaban una mayor tenacidad en el espíritu del hombre.

El policía volvió a su escritorio con una carpeta. Shinji se dispuso a hacerle la pregunta más importante que tenía en mente.

—¿Tenía la hermana un lunar en el lado derecho debajo de la nariz?

—Oh, sí. Uno muy grande, pero no recuerdo en qué lado.

—¿Parecía muy sorprendida cuando se enteró de que su hermana estaba embarazada?

—Lo bastante como para que yo sintiera piedad y deseara no habérselo dicho. Y eso que por mi trabajo estoy acostumbrado a dar malas noticias a los familiares.

Shinji pensó que la hermana debía de ser una belleza para ganarse las simpatías del comisario. Estuvo a punto de decirlo, pero se contuvo.

Miró rápidamente el expediente y, dándole las gracias, salió del edificio. Al salir se preguntó si podría llevar a juicio lo que acababa de descubrir. Pondría en dificultades al comisario por haber encubierto el embarazo con un gesto amable.

Las vidas de los hombres y las mujeres estaban entrelazadas como los engranajes de una máquina. Cuando uno se sale de su sitio, acaba dañando, no sólo a los que tiene a su alrededor, sino a los que no tienen contacto directo con él. Ahora tendrían que salir a la luz secretos ocultos de los hombres. No sería sólo el comisario, también le tocaría al vendedor de cosméticos y al médico interno.

Telefoneó al despacho informando de los progresos obtenidos en la comisaría. El viejo no parecía sorprendido.

—¿Sólo eso? —fue lo único que dijo.

—Bueno, puedo ir a ver el apartamento de Omori —respondió, y colgó.

Había que localizar a la hermana de Keiko Obana lo antes posible.

El apartamento estaba cerca del rompeolas. Al bajar del taxi, pudo oler el mar. «Es por aquí», dijo el taxista sin servir de mucha ayuda. Tuvo que buscarlo por el pilar rojo edificado en una esquina próxima. Cuando lo encontró, descubrió que era un edificio de pisos baratos de madera. Los pasillos estaban llenos de basura: braseros viejos, cajas de cartón y demás.

Localizó un ama de casa que asaba pescado en una barbacoa que había desplazado al patio. Parecía gustarle hablar, y respondió a todas las preguntas. Resultó que, afortunadamente, vivía frente a la puerta 5, que era el lugar donde habían vivido las hermanas Obana. La hermana se había mudado el pasado septiembre. La decisión parecía haber sido muy repentina, y había vendido los muebles a una tienda de artículos de mano. Dejó saber que se mudaba al oeste de Japón, y se marchó sin hacer la acostumbrada ronda de despedidas.

—¿Tuvo visitas antes de mudarse?

—Creo que una reportera de una revista femenina vino a entrevistarla un par de veces sobre la muerte de su hermana. No recuerdo más visitas.

—¿No sabe nadie a dónde se fue?

—Bueno, solía decir que le gustaría volver a Hiro-shima, pero...

—¿Utilizó alguna casa de mudanzas para irse?

—No creo. No tenía nada que llevarse. Vendió hasta la cama. Se marchó muy tarde, por la noche, y nadie la vio irse.

Corrían rumores de que le habían pagado mucho dinero por lo del suicidio de su hermana, así que posiblemente volvería a casa y se establecería por su cuenta.

Le agradeció la ayuda y se marchó. No quería ser pesimista, pero resultaba evidente que localizar a la hermana de Keiko Obana no iba a ser tarea fácil. Supongamos, y parecía probable, que hubiera desaparecido intencionadamente. ¿Cómo podrían encontrarla entre cien millones de japoneses? Y, además tenían de plazo hasta el día que se viera el caso de apelación. Y eso esperando lo mejor: ¿y si se había suicidado? ¿Y si se había tirado a un volcán, o a un remolino, o a algún otro sitio en el que fuera imposible recuperar el cadáver? Solía pasar.

Estaba hecho un lío, y cuanto más pensaba, más se liaba y más desesperanzado parecía su propósito. En el taxi decidió preguntar en los sitios donde la gente solía suicidarse. Nunca se sabía si...

Volvió a la oficina, pero el viejo había salido. La secretaria, Mutsuko Fujitsubo, estaba ocupada en copiar un anuncio para el periódico.

—El señor Hatanaka ha ido a la prisión. Me pidió que colocara este anuncio en todas las secciones de «personas desaparecidas» de la prensa. ¿Cree que servirá de algo? —preguntó, alargándole el texto.

PERSONAS DESAPARECIDAS

TSUNEKO OBANA. 31 años. Nacida en Hiroshima. Vivía en los apartamentos Fujii, Sansei-Cho, Omori Kaigan, Shinagawaku, Tokyo, hasta el pasado mes de septiembre.

Seña personal: un gran lunar, del tamaño de una judía, en el lado derecho de la base de la nariz.

Deseamos contactar con ella urgentemente. Se recompensará toda información que nos conduzca a su paradero.

DESPACHO LEGALISTA HATANAKA

—¿Le ha dicho el señor Hatanaka que lo publique todos los días?

—Sí, durante un mes.

—Lástima que no tengamos una foto.

—Eso es lo que dice el señor Hatanaka. Dice que así nos exponemos a seguir pistas falsas y a dar con una persona equivocada.

Shinji se puso a mirar por la ventana, en dirección al parque público que había abajo. Las palomas que se reunían todas las mañanas en el marco de la ventana se habían ido a cumplir sus deberes del mediodía. Una delicada niebla envolvía los árboles del parque. Arriba, el cielo estaba salpicado de cúmulos. Pensó que no habría ninguna manera de encontrar a la hermana de Keiko Obana. Se había desvanecido tras ejecutar su venganza.

Sus premoniciones, tristes como el invierno, contrastaban con el brillante cielo veraniego del exterior.

UN MONÓLOGO

La mujer extendió la mano lentamente en dirección a la almohada de la cama donde yacía. Los ruidos de su cabeza. Tenía que calmarlos.

La enjuta mano parecía la pata deshidratada de un pollo, no tenía carne, sólo piel y huesos.

La áspera mano cogió algo bajo la almohada y sacó un libro de notas bastante grande. La cubierta estaba sucia y evidenciaba, en algunos sitios, huellas de dedos.

En la cubierta estaban grabadas las palabras «Diario del Cazador». La palabra «Cazador» estaba tan gastada que apenas resultaba legible. Había sido leído tan a menudo... Calmó, por un rato, los ruidos de la cabeza.

Apretó el diario contra su pecho. Lo retuvo un tiempo antes de abrirlo. Pasó las páginas con rapidez antes de detenerse en la décima. Tenía los ojos cóncavos, como agujeros negros taladrados en la cabeza, como los ojos de un cadáver en descomposición. Apenas visibles en las oscuras oquedades, las turbias pupilas parecían incapaces de enfocar algo.

La delgada mano pasó las páginas con cuidado, pero los ojos parecían no ver nada. Era su rutina diaria. La mayoría de las palabras del diario estaban grabadas en su corazón. Su mano reposó al llegar a una página determinada.

La presa aguantaba bien la bebida. No opuso resistencia, ni hubo histerismos, ni sobreactuó. Se puso en mis manos. Me sentí como un dios aceptando un sacrificio humano.

Hizo todo lo posible por satisfacerme, pero estaba muy tensa y no dejaba de temblar. Tardé dos horas en matar. Era virgen. Sangró.

Tonta, tonta niñita. No digas que lloraste en sus brazos, no me digas que su cuerpo te aplastaba. No intentes decirme esas cosas. Estoy segura de que te morderías el labio con esos afilados dientes tuyos que tanto te gusta limpiar.

¡Tan tonta como para derramar sangre para que se divirtiera! Ese hombre que, para robar dos horas de placer, presionó sus sucios labios contra tu inocente e inmaculada piel. Introdujo su simiente pecadora en tu cuerpo de niña, todavía inmaduro, ¡y todo para su propia satisfacción! ¿Fue por la simiente que se desarrollaba en tu cuerpo, o pese a ella, por lo que te viste obligada a morir? Cuando te preparabas a morir, ese hombre te había olvidado hacía mucho tiempo y disfrutaba del cuerpo de otra mujer... Pero ahora está todo bien, cariño, no llores más. No le maldigas más, pese a yacer bajo tierra, pese a que te devoren los gusanos.

Porque te he vengado, a pesar de los ruidos de mi cabeza. Le he metido en prisión, donde nunca podrá volver a tocar el cuerpo de una mujer. Ahora está en su celda, mirando las áridas paredes, pensando si debería escribir tu nombre en esos cuatro muros; el tuyo y el de otras tantas, contando, además, cómo lo pasó con ellas. Pronto se lo llevarán y lo colgarán y le pondrán encima una pesada lápida. ¡Ahí le tendrás! En vez de apretarse contra tu cuerpo y contra los cuerpos de las otras mujeres, ¡la piedra le apretará a él!

Ahora, deja que te cuente cómo hice que ese hombre saboreara la misma agonía que te hizo pasar a ti...

EL LUNAR NEGRO (2)

4

Transcurrió una semana desde que apareció el primer anuncio en la prensa. Llegaron muchas informaciones sobre Tsuneko Obana, pero todas resultaron ser falsas. Entonces llegó la primera pista auténtica. La proporcionó el encargado del Midori-So, el edificio donde asesinaron a Mitsuko Kosigi. Les dijo que una mujer con un lunar en la nariz había estado hospedada allí, bajo el nombre de Keiko Obana, desde el anterior mes de septiembre.

La mujer tenía poco más de treinta años y trabajaba como modelo de una compañía de cosméticos. El trabajo le alejaba del piso muy a menudo, y solía ocuparlo dos veces por semana. No se había presentado en los últimos dos meses.

—Me pagó seis meses por adelantado, así que no me sorprendió al principio. Últimamente estaba preocupado, e iba a acudir a la policía cuando vi su anuncio.

El encargado parecía un veterano de guerra, y hablaba en un tono que denotaba honestidad. Su traje, brillante por el uso, estaba bien planchado y olía a naftalina; debía de vestirlo sólo en las ocasiones especiales, como esa visita a la oficina legalista Hatanaka. El lunar, la edad, su reciente desaparición... todo parecía apuntar a la escurridiza Tsuneko Obana.

—¡Lo teníamos ante nuestras narices y no lo veíamos! —exclamó Shinji.

El viejo no dijo nada y Shinji pensó que quizá se había precipitado. ¿Para qué iba a usar el nombre de Keiko Obana? ¿No era una forma de delatarse?

El viejo parecía pensar de la misma manera. Masticó su cigarro con gesto perplejo.

—Supongamos que la mujer es realmente Tsuneko Obana, estaría usando el nombre de su hermana muerta como autoexpresión de sus deseos de venganza; y, de ser así, podemos presumir que ha vuelto a huir. Y esta vez para siempre.

Pese a todo, decidieron ir inmediatamente al apartamento. El viejo mandó llamar a su secretaria y le indicó que le diera una recompensa al viejo encargado. Se la entregaron en un sobre marrón y el encargado protestó con educación. Llamaron un coche de alquiler y en seguida llegaron al Midori-So de Asagaya. Mientras viajaban, el viejo no dijo palabra, limitándose a reflexionar y masticar el puro.

Lo primero que hicieron fue mirar en el piso de Mitsuko Kosigi. Pese a la escasez de vivienda, aún no lo había alquilado nadie, posiblemente debido al hecho de que allí se había cometido un crimen. Las puertas y la ventana estaban abiertas, como para limpiar el ambiente de cámara mortuoria, que aún podía olerse. No había nada de interés, así que subieron a la habitación de Obana.

Estaba muy limpia y ordenada. El encargado abrió temeroso la puerta del armario, pero no contenía más que ropa de cama. Todo parecía en orden, pero Shinji se sentía incómodo. ¿Por qué había alquilado un apartamento utilizando el nombre de su hermana muerta? ¿Por qué lo había abandonado? Pensó en cómo cambiaban de concha los cangrejos ermitaños. ¿Había vuelto a escapar? ¿Volvería? ¿Dónde estaba ahora?

Una sensación de fracaso le recorrió el cuerpo y la mente. Se acercó a la ventana y miró a las calles de abajo, a los travesaños de la entrada que emergían del lodo. Todo tenía un aspecto vulgar y corriente a la luz del día. Pero, por la noche, ¿no se había convertido, acaso, en escenario para una obra de terror en la que Ichiro Honda había sido el actor principal?

El viejo le llamó y se apresuró a situarse a su lado, frente a la baja mesa escritorio ante la que estaba Hatanaka. La carpeta estaba abierta y el viejo señalaba un libro de notas de gran tamaño escondido en su interior. Shinji se tensó al sentir algo semejante al vértigo.

—¡El «Diario del Cazador»!

—Sí —dijo el viejo, pasando las páginas con rapidez, mirando a través de sus gruesos lentes—. Pero falta el pasaje de Keiko Obana.

Le mostró dónde habían arrancado las páginas.

—¿Han encontrado algo que les sirve de utilidad? —preguntó el encargado.

—Esto —dijo el abogado, metiéndoselo en un bolsillo—. Y voy a llevármelo como prueba.

En esos momentos, a Hatanaka le gustaba ceñirse a procedimientos que estaban a medio camino entre los requerimientos de la ley y la realidad.

Le dijo al encargado que les avisara si aparecía la señorita Obana, y abandonaron el Midori-So. En el coche, Shinji rompió su silencio.

—¿Volverá?

—No creo. El pájaro ha dejado el nido. Dejó atrás el «Diario del Cazador» deliberadamente, para que lo encontrara alguien como nosotros.

Se enfrascó en su lectura con Shinji intentando atisbar por encima del hombro.

Vio el pasaje referente a Michiko Ono, la bibliotecaria, y apartó la mirada al sentir un dolor puzante en el corazón.

La ciudad yacía en el polvo de una tarde de verano. El aire acondicionado del coche le dirigía una corriente a la nuca, se moviera como se moviera. Pasaron por la estación de Shinjuku, había una obra aplazada y una tarima de madera abandonada por la que pasaba la gente, moviéndose lentamente bajo el sol de verano. Los camiones con cascotes iban y venían, amontonando tierra al lado del camino.

¿De qué le había servido visitar a las personas con Rhesus negativo y seguir el rastro de la mujer del lunar? ¿No seguía siendo, pese a todo, poco más que un simple testigo? Los auténticos protagonistas, Ichiro Honda, Michiko Ono, la mujer del lunar, y hasta las asesinadas, habían llegado a un extremo de sus vidas, se habían asomado al abismo y, en algunos casos, habían vuelto.

Él no había ido a ninguna parte. Había estado mirando desde fuera.

El viejo seguía inmerso en el diario.

—¡Tiene muy buena memoria! —exclamó—. Su reconstrucción era casi perfecta. ¡Incluso en el orden! —Siguió pasando páginas y se puso rígido—. Falta una página del principio. Mire, ¿ve dónde la han arrancado?

Era cierto.

—¿Quién me dijo que fue su primera víctima...? No fue... Sí, es la mujer que tiene el número dos del diario. Pero, está claro que debía de haber alguien antes. ¿Quién puede haber sido? ¿Y por qué falta la página?

El viejo cerró los ojos para poder reflexionar. Al cabo de un rato, los abrió murmurando medio para sí mismo.

—Si no tenemos mucho cuidado, corremos peligro de cometer un gran error.

Habló con tono dolorido. ¿Habría descubierto algún error en sus teorías? Shinji intentó entablar conversación a medida que el coche atravesaba la ciudad, pero no consiguió nada. Cuando el coche se paró ante un semáforo en Hibiya, el viejo rompió su silencio, y señalando hacia adelante, pidió que les llevaran a la prisión de Sugamo.

Camino de la cárcel, la cabeza de Shinji estaba hecha un lío. Quería leer el «Diario del Cazador» que reposaba en las rodillas del viejo, y temía hacerlo. ¿Qué habría escrito Honda sobre su asunto con Michiko Ono? ¿Describiría cómo habían hecho el amor? ¿Cómo se había dirigido Michiko a él? ¿Cómo le habría hablado? Se dio cuenta de que estaba celoso.

Le importaba tanto lo relativo a su antigua amante como al viejo la página arrancada.

5

La sala de espera del hospital era sofocante y estaba mal ventilada. El rostro de Shinji estaba empapado de sudor. El viejo permaneció sentado, tieso como una roca, con el diario metido en un portafolios apoyado en su regazo. Por fin les llegó el turno, y pasaron a la sala de entrevistas.

El condenado no llevaba corbata, lo cual, añadido a su aspecto abandonado, no le beneficiaba mucho. Como había dicho el viejo, tenía el rostro de alguien que se ha rendido. Necesitaba un afeitado y llevaba el pelo mojado y revuelto. Y, sobre todo, la luz había desaparecido de sus ojos.

¿Era éste el hombre que había puesto sus labios en el pecho de Michiko Ono? Shinji se dio cuenta de que estaba mirando a Honda, y cambió su mirada por otra de total desapego, desapego hacia Honda, hacia las paredes de piedra y el enladrillado suelo...

—Hemos encontrado su diario —dijo el viejo.

Tras las rejas, Ichiro Honda se quedó sin habla.

—¿Dónde? —preguntó por fin, con labios temblorosos. Su profunda voz sonaba sombría.

—En el Midori-So, donde asesinaron a Mitsuko Kosigi. La hermana de Obana tenía un apartamento en el segundo piso del mismo edificio. Pusimos un anuncio y vino a vernos el encargado. Se mudó allí en septiembre, pero no ha aparecido desde hace dos meses.

—Claro —dijo Honda, bajando la cabeza. Las manos se unieron bajo las rodillas—. Ya lo entiendo. Recuerdo que, cuando fui allí, leí ese nombre en el cajetín de los zapatos, y no me di cuenta de que era el mismo nombre de la telefonista.

—Si la persona que le incriminó tenía un apartamento en ese sitio, toda su historia adquiere sentido. No me extraña que desaparecieran sus zapatos. Ni que se cerrara la puerta. Quizás estaba escondida en el armario de las escobas.

—Pero, entonces, ¿por qué apareció la llave en mi bolsillo?

—La última vez declaró que podía haberse metido la llave en el bolsillo sin darse cuenta. No creo que pasara eso. Creo que la criminal la metió en la chaqueta cuando la tenía colgada de su percha en Yotsuya. La mujer del lunar tuvo acceso a este sitio. Lo sabemos porque robó el diario. Leyéndolo, pudo anticipar todos sus movimientos y obrar en consecuencia.

—¿Y cómo es que la sangre era de mi tipo?

—La mujer consiguió una lista de donantes de sangre que tienen ese tipo. Debió de obtenerla de alguno de ellos. De momento, sabemos que contactó con cinco. Shinji, aquí presente, habló con todos.

Honda le miró, pero volvió a fijar la vista en el viejo.

—Todavía hay algo que no entiendo bien. ¿Cómo es que no había señales de lucha en ningún lugar del crimen?

—Debió de utilizar algún anestésico. Cloroformo, o algo semejante. Eso explicaría el olor que notó en los apartamentos de Fusako Aikawa y Mitsuko Kosigi.

—Sí, eso encaja. El cloroformo.

—Y el semen. También lo sacaba de los donantes de sangre.

—¡Es una locura! —gritó Honda, tirándose nerviosamente del pelo—. ¿Por qué yo? —Viéndolo ahí, totalmente rendido, Shinji se dio cuenta de que no había sido más que otro comparsa del drama.

El viejo sacó el diario.

—Tiene buena memoria. El criminal arrancó las páginas referentes a Keiko Obana, lo que me parece lógico. Lo que no puedo entender, es por qué arrancó esta otra. La primera. ¿Quién era la mujer que se describía aquí?

El viejo enseñó el libro a Honda, y éste se puso progresivamente blanco. Fue como si el hombre hubiera desaparecido de repente, dejando tras de sí un pelele vacío. Mirando la escena, Shinji se sintió más que nunca ajeno a ella. Ichiro Honda sabía cuál era el nombre que faltaba... y también lo sabía el viejo.

La habitación le resultaba repentinamente pequeña. Honda abrió la boca para hablar, y boqueó como un pez fuera del agua.

—No puedo recordar quién era —consiguió decir—. Por favor, déme tiempo para intentar recordarlo.

Por la manera en que Honda desviaba la mirada, Shinji se convenció de que Honda sabía quién era la mujer, pero que no lo diría. El viejo permanecía silencioso. Sin decir una palabra, se levantó, miró al prisionero con compasión y salió de la sala.

Camino de la oficina, Shinji se preguntó qué iba a hacer el viejo con el diario. ¿En qué pensaba Hatanaka, con la barbilla apoyada contra el pecho y el cigarro colgando de los labios?

Shinji, por su parte, sentía la lenta ponzoña de los celos abrirse camino hacia su corazón. Lo único que le interesaba de ese diario era el capítulo dedicado a Michiko Ono.

6

Transcurrió una semana, y algo sucedió inesperadamente. Honda solicitó entrevistarse con el alcaide de la prisión y se declaró culpable, pidiendo que anularan la apelación.

—Lo que me temía —dijo el viejo misteriosamente—. Nos vamos de viaje. Prepara tu viaje.

—¿A dónde vamos?

—A Osaka. Tengo que hablar con el suegro de nuestro cliente.

Dejaron Tokyo aquella misma tarde y, al día siguiente, Shinji esperaba en el vestíbulo del hotel a que el viejo volviera de su entrevista con el suegro.

Antes de salir de viaje, Hatanaka había vuelto a visitar a Honda, pero éste seguía negándose a hablar de la página que faltaba y seguía declarándose culpable. Hasta Shinji se daba cuenta de que su nueva postura se debía al nombre de mujer que faltaba en el diario.

El viejo había estado ya en Osaka por su cuenta. Estuvo cinco días, y dejó Tokyo al día siguiente de la entrevista con Honda. No hablaba mucho de este primer viaje, y daba la impresión de que no se le podía preguntar nada al respecto. Shinji se lamentaba de esa reserva con la secretaria, justo ahora que el caso iba poniéndose interesante. Pero pudo intuir que no sólo había visitado al suegro, sino también a la esposa. Tenía que admirar la vitalidad del viejo, con casi setenta años, y su decisión al hacer el viaje.

Ahora, Shinji esperaba en el hotel de Osaka. Pasó una hora antes de que el viejo regresara. ¿Dónde había estado? Shinji no preguntó, pero le acompañó a casa de la esposa de Honda.

Les recibió la vieja ama de llaves. Dio a entender muy claramente que les esperaba, y les condujo al estudio construido en el jardín. El interior estaba oscuro, pese a la brillante luz del día. El único sonido que se oía en el cavernoso silencio era el zumbido del aire acondicionado. La vieja cogió una pértiga y deslizó la cobertura del techo, dejando que la luz entrara en la habitación.

En un rincón había una cama muy vieja en la que yacía una mujer. El ama de llaves cogió dos bancos de madera que parecían hechos para niños, los puso al lado de la cama y les invitó a sentarse en ellos.

Shinji miró a Taneko, la esposa de Ichiro Honda, por primera vez. Le habían dicho que tenía menos de treinta años, pero esta mujer parecía una enferma de casi cincuenta. ¿Era su imaginación, o la habitación estaba invadida por el olor de la muerte, como si fuera un pabellón de cancerosos?

—Su marido ha retirado la apelación —dijo el viejo, con tono comedido.

La mujer no parecía darse cuenta de su presencia. El ama de llaves se acercó a la cama y le susurró algo al oído. No respondió; en lugar de eso, se irguió y sacudió la cabeza ante los dos hombres.

Los tres miraron a la enferma. Una pared invisible parecía separar su mundo del suyo. Yacía sin mostrar signo alguno de vitalidad, mirando vacíamente al techo con la boca tapada por las sábanas. Sólo se oía el zumbido del aire acondicionado, marcando el paso del tiempo y la presencia del mundo real. Los minutos se arrastraban lentamente.

Finalmente, Taneko movió una mano sin vida hacia su rostro, y las sábanas se deslizaron hasta la garganta. Miró a Shinji y al viejo y se rió, pero su rostro permaneció inexpresivo, dando a la risa una cualidad sobrecogedora. Entonces fue cuando Shinji lo vio.

¡En el lado derecho de la nariz tenía un lunar del tamaño de una judía! ¡El lunar que tanto había buscado! Se aposentaba en el rostro como el símbolo de un pecado inconfesable.

—¿Por qué nadie me dijo que la mujer de Honda tenía un lunar? —murmuró Shinji.

Taneko alargó la mano hacia la mesita y cogió su espejo de mano. Miró ausente su rostro en el espejo y cogió un tarro de crema que procedió a untarse en la mejilla, al lado de la nariz. El lunar empezó a difuminarse y acabó desapareciendo. ¿Qué clase de truco era ése?

Entonces se aplicó crema en los párpados, disolvió

el pegamento que los había hecho visibles y éstos volvieron a su lugar, convirtiéndose otra vez en una rendija. Una vez terminada la transformación, devolvióel espejo a su sitio y volvió a yacer en la cama, con la cara otra vez convertida en una máscara vacía.

—Ahora sí lo entienden —dijo la mujer mirando a Hatanaka y a Shinji. Cogió la pértiga y volvió a sumir la habitación en la más completa oscuridad. Los dos hombres la siguieron por el jardín. Shinji se volvió para mirar una vez más, pero Taneko había vuelto a colocarse las sábanas en la cara y yacía como un cadáver.

En la entrada principal de la casa, el ama de llaves le dio al viejo un cuaderno.

—Éste es su diario. Solía escribir en él hasta que se quedó así —dijo—. Se habrá dado cuenta de que no puede realizar ninguna prueba grafológica en su estado actual, así que utilícelo como muestra de su escritura. Estoy seguro que descubrirá que coincide con la de la nota que dejó la chica del baño turco. Debe prometerme que no hará público este diario. A nadie. Nunca. Si no me lo promete, lo echaré al fuego.

—¿Fue usted —dijo el viejo—, quien arrancó las páginas del «Diario del Cazador»?

—Sí. Fui yo.

—¿Y quién lo puso en el apartamento del segundo piso de la casa de Mitsuko Kosigi?

La vieja mujer asintió.

—El ama está ya más allá del alcance de la ley; haciendo lo que he hecho, mi deber está cumplido. Consideraba que había que salvar la vida del señor Honda, así que fui a Tokyo hace seis meses y dejé el diario donde pudieran encontrarlo.

El viejo sonrió débilmente y se dispuso a marcharse.

Caminando por el ligero terraplén que llevaba a la estación, Shinji seguía anonadado ante el giro que habían tomado las cosas.

—Hubiera jurado que se trataba de la hermana. ¿Cómo lo supo?

Pero el viejo no respondió.

De pronto, Shinji pudo ver el pathos del mundo. Bajando aquel terraplén... a cada lado habían edificado casas modernas con techos de tejas rojas. ¿Qué vidas banales se desarrollaban tras aquellas paredes? Vidas simples y monótonas de gente corriente. ¡Qué contraste con la habitación en la que habían estado! ¿Hasta qué punto eran reales la mujer enferma que olía a muerte y el hombre cuyo afán de vida yacía destrozado en una celda? ¿No sería todo una pesadilla fugaz en medio del calor veraniego?

Pensó en Yasue en el baño turco, en Tanikawa con su forzada jovialidad en el restaurante, en el estudiante de medicina que siempre le daba la espalda. ¿Cómo se relacionaban aquellas marionetas teatrales con la mujer loca que yacía en la cama, tapándose la cara con las sábanas?

El viejo paró un taxi y se metieron en él.

Pero..., pensó Shinji, ¿no eran sus experiencias como las de Tiltil y Mytil, que acabaron encontrando el pájaro azul en su propia casa? La mujer del lunar que había perseguido con tanto interés había estado todo el rato dentro de la jaula.

Rompiendo su silencio, Hatanaka volvió a hablar.

—Aún no hemos salido del bosque. No puedo romper mi promesa y utilizar este diario. Habrá que encontrar otra manera de liberar a nuestro defendido.

Lo dijo agitando el diario de Taneko Honda.

EPÍLOGO

Del diario de Taneko Honda

Me siento extraña cuando cojo la pluma. Recuerdo a la periodista de una revista femenina que solía venir todos los días desde que arrestaron a mi marido para que le concediera una entrevista o le escribiera un artículo. Mi vieja ama de llaves no le permitió pasar del umbral de la casa, pero siguió insistiendo durante tres meses.

Hasta que un día dejó de venir.

Una mujer tan entusiasta probablemente se casó o algo por el estilo.

Desde que dejó de llamar a nuestra puerta me siento un poco más sola, pero también aliviada. Tenía cosas que terminar en Tokyo y, por fin, podía salir sin que me siguieran.

Cuando me dieron la noticia de que habían arrestado a mi esposo, yo estaba pintando en mi estudio.

El fondo de la pintura era de color rojo.

Me pregunto qué habría dicho al verla mi psicoanalista de Chicago, el doctor John Wells.

Lo habría achacado otra vez a mis reprimidas necesidades sexuales.

Fue el policía de la localidad quien me notificó su arresto. Llevaba una orden del juez para llevarse las pertenencias de mi marido. Pero no le hacía demasiada ilusión.

Quizá fuera el respeto que le inspiraba mi padre. Tal vez fuera que tenían evidencia de sobra para encarcelarlo. De todos modos, no molestó mucho.

Fue el comisario local quien registró mi estudio. Estaba muy turbado y no vio la botella medio vacía de cloroformo que tenía entre los botes de pintura. No me molesté en esconderla. ¿Para qué? Su actitud hacia mi persona era de curiosidad mezclada con compasión.

Estaban seguros de que me había afectado enterarme de que mi marido era un criminal con gustos perversos. Me vino bien. Apenas tuve que fingir... me limité a yacer en mi lecho simulando que me había quedado sin habla por la impresión.

Al fin y al cabo, es así como se comportan los parientes de los criminales. Cuanto peor es el crimen, más intentan esconderse de la sociedad. Sí, me vino muy bien.

Mi mayor miedo era la prensa. ¿Qué pasaría si me hacían una foto? Pero me dejaron en paz, quizá por delicadeza hacia la pobre inocente que era víctima de los crímenes de su marido. La prensa sensacionalista intentó sacarme una foto pero les burlé sin salir de casa. Las únicas fotos que se publicaron fueron las de mi época de actriz, cuando tenía veinte años, y las de la escuela primaria, cuando vestía traje marinero y llevaba coletas. Eso no me preocupaba. No había modo de que me reconocieran.

Mi siguiente preocupación era que me llevaran a declarar. Decidí perder peso para cambiar de aspecto antes de llegar al banquillo de los testigos. Casi me muero de hambre y cuando me miré las piernas, tras varias semanas de ayuno, estuve a punto de desmayarme. ¡Con las piernas tan bonitas que tenía! Morenas y bien torneadas, con músculos firmes como los de un antílope. ¡Qué orgullosa estaba de ellas! Cuando jugaba a tenis, solía ponerme las faldas más cortas que encontraba para poder exhibirlas. Solía dejar que se me alzara mucho la falda para que los hombres vieran lo morenas que las tenía. Las enseñaba hasta las minúsculas bragas que solía utilizar. Y debajo, donde terminaba el resuello... ¡Oh, si hubieran visto qué blancas eran las zonas secretas de mi cuerpo!

Ahora eran como las descoloridas piernas de un esqueleto. Me levanté el camisón y me di cuenta de que las piernas y los lugares secretos eran del mismo color. Mis piernas parecían las de un judío en un campo de concentración.

Me quité del todo el camisón y me contemplé desnuda. Me estaba convirtiendo en un esqueleto con unos rastrojos de pelo en medio.

Todo esto afectaba mi salud. Tomaba purgantes para bajar de peso, y quedé tan débil que apenas podía abrir la boca para darle instrucciones al ama de llaves. Me faltaban fuerzas hasta para sujetar la manta cuando resbalaba de la cama. Fumaba mucho para reprimir el apetito, y mi mano era una garra manchada de nicotina. Al no tener fuerzas, solía dejar caer el cigarrillo en la cama prendiéndole fuego muy a menudo. Mi ama de llaves me regañaba en esas ocasiones, pero, ¿qué podía hacer yo?

Si provocaba un fuego, el estudio ardería hasta los cimientos y sería mi ruina... pero tenía que seguir fumando.

Temía que el ama de llaves me quitara los cigarrillos. Necesitaba el humo de aquellos cigarrillos, de aquellas colillas de penetrante olor y humo púrpura.

Los necesitaba para apaciguar la soledad, el terror y la obsesión de mi lecho vacío.

Por una temporada me los limité a un raquítico y miserable cigarrillo, pero necesitaba más sustancia para que me supiera a algo y tuve que completarlos con un poco de pechuga de pollo bien frita y alguna fuente ocasional de pasteles.

Acabé por no poder asir nada, y se me caía todo lo que tocaba: una jarra de agua, un cenicero lleno de colillas y hasta la pluma que me compré en Chicago.

Pero seguía sin poder dejar de fumar.

Siempre tenía un cartón de cigarros «Westminster» en la cama, pero al final lo acabé. El ama de llaves se quejó de la atmósfera cargada y abrió las ventanas. Una fría noche de febrero, no las cerró bien y la brisa me congelaba, así que me levanté de la cama para cerrar las ventanas. No pude hacerlo.

Debió de ser el momento en que estuve más débil.

En esos días, no me molestaba en pensar en la muerte. Era el sexo lo que dominaba mi mente. Su sexo, y el mío.

¿Qué sueños tenían los hombres que habían estado en la guerra? ¿Qué pensaban al acostarse solos cada noche? ¿Pensaban en los que habían luchado con ellos mano a mano? Y esos viejos guerreros, desnudos y envueltos en mantas, soñando con su joven y esbelta desnudez, con los pujantes músculos de su juventud, las luchas... que habían terminado ya... ¿Qué pensaban en la cama?

Pensé en el tacto de su cuerpo desnudo, rezumante del sudor de las mujeres que había montado...

Pensé en mí misma, desnuda ofreciéndome a los hombres para conseguir las pruebas que necesitaba. Mis manos parecían aún el tacto de esos hombres a los que me había sometido...

Bueno, al final no tuve que comparecer en el juicio. Un empleado del tribunal vino a verme con una grabadora para interrogarme sobre mi vida matrimonial. Preguntó principalmente sobre nuestras relaciones sexuales, o la ausencia de ellas, ya que mi marido es impotente conmigo. Daba la impresión de que ya habían interrogado al médico de la familia y las preguntas resultaron ser muy delicadas. Había un par de términos médicos que no conocía, pero me limité a asentir.

Cuando llegó a la palabra «espasmo», utilizó la expresión alemana de «kampf», enrojeciendo al pronunciarla.

Quizá tenía una imaginación bastante lasciva, quizá me imaginaba desnuda, yaciendo bajo él.

No puedo culpar a nuestro médico. ¿Cómo puede conocer la auténtica razón de mi miedo al embarazo?

Nadie lo sabe... Nadie excepto nosotros y el médico alcoholizado que nos sacó dos mil dólares en México... sólo nosotros tres sabemos lo del niño que nació sin huesos, lo del niño del que nos deshicimos.

Una locura, eso fue ir a México en mi noveno mes de embarazo. ¿Por qué no volveríamos a Japón? Nunca habríamos caído en las garras de aquel doctor... no habría tenido que mancharme las manos con la sangre de mi propio hijo.

Dos semanas después de dar a luz, me había repuesto lo suficiente como para hacer el amor. Yacía bajo mi marido, en sus brazos, en un hotel construido como albergue de montaña a orillas de un lago.

Estábamos a punto de alcanzar el clímax... y sufrí un espasmo. Mi cuerpo atenazó al suyo como una trampa... lanzó un grito de dolor... yo también sufría. De alguna manera, conseguí coger el teléfono, pese a estar unidos tal y como estábamos...

La cabeza rústica de aquel médico miró a la pareja desnuda de piel amarilla crispada en la primera postura que muestran los libros matrimoniales... como si fuéramos un par de monos, o de perros, copulando. No sentimos vergüenza alguna debido al dolor. Nos inyectó un relajante y conseguimos separarnos.

Al volver a Chicago, el doctor John Wells diagnosticó la causa de mi espasmo. Era un miedo psicológico al embarazo. Dijo que volvería a ocurrirme cada vez que intentara hacer el amor con mi marido, y que sucedería cuando estuviera a punto de eyacular. «Es como tener un dolor psicosomático en un músculo. Pasará aunque uses contraceptivos. Posiblemente, también con otros hombres.» A no ser que supere mi miedo al embarazo. Resultaba menos vergonzante al hablarlo en inglés.

Así empezó la agonía del centauro. ¿No desea la parte superior amar una mujer, mientras la parte inferior sólo puede cubrir a una yegua?

Éramos como el símbolo del hambre en la mitología griega, enterrados hasta el cuello, con montones de alimentos deliciosos expuestos ante nosotros.

Al principio nos buscábamos... nos acariciábamos... para rendirnos finalmente a la desesperación. Siempre tan infructuosamente agotados... siempre existiría la marca de sudor en las sábanas, repletas del triste olor que simbolizaba nuestro amor estéril.

El doctor pensaba que la culpa de mi miedo a dar a luz la tenía mi primer y fracasado embarazo —habíamos dicho que aborté en México—, y nos sugirió que cambiáramos de entorno. Pero mi marido y yo conocíamos la auténtica razón, y supimos que tampoco resultaría. Nuestro futuro como hombre y mujer había terminado ante un muro.

Mi marido encontró trabajo en Tokyo, y volvimos a

Japón. Vivíamos separados, a excepción de la noche de los sábados.

Y, una vez por semana, nos buscábamos en la oscuridad, soñando que sucediera un milagro. Acabamos rindiéndonos. Mi marido me dijo que, cuando yacía conmigo, ya no podía ser un hombre completo.

Con una débil sonrisa de viejo, se golpeó el vello del pecho y dijo: «Soy impotente. He perdido interés en las mujeres. A veces voy a ver un strip-tease, o me limito a mirar los desnudos de las revistas. Me temo que no puedo hacer más.»

Y como una tonta, le compadecí, porque aún era joven y guapo, y se había vuelto impotente.

Cuando le conocí era un hombre melancólico, pese a ser de ingenio rápido y encantador. Qué bien le recuerdo, parado ante la pared de rojo ladrillo del edificio de la Universidad de Chicago, vestido con un ancho jersey rojo. Tenía una pose tan adecuada al entorno, con la cabeza ligeramente inclinada a un lado, que me enamoré inmediatamente de él. Siempre le he querido. Fue el primer hombre que conocí.

Y un día, cuando nuestra separación databa de seis meses (había sido idea mía, pensé que si nos veíamos todas las noches, la tortura podría ser excesiva), deseé enormemente verle, me metí en mi Mercedes, y me dirigí a Tokyo sin previo aviso. Los seiscientos kilómetros que nos separaban pasaron como un sueño.

Era casi el amanecer cuando llegué al hotel Toyo, donde se hospedaba. Aún era invierno y afuera estaba oscuro y hacía frío. Aparqué frente al hotel y apagué los faros. Terminé el cigarrillo mirando al hotel. Iría luego, cuando no fuera demasiado de madrugada. Y, entonces, vi una figura familiar que salía de un coche. No sería... sí, era mi marido.

Pagó la cuenta. Su rostro era inexpresivo a la luz de los faros. Y, de alguna manera, al verle allí, noté un comportamiento extraño, algo que sugería el cansancio típico de después de hacer el amor. ¿Por qué no le seguí y le acosé a preguntas? Sigo sin saberlo.

¡Si hubiera aparecido diez minutos antes! ¡O más tarde!, cuando yo hubiera estado repuesta del viaje. Me hubiese acercado a él. Hubiéramos mantenido nuestra habitual cháchara sin sentido, tomando una taza de té juntos, y nos hubiéramos dicho adiós.

No se puede luchar con el destino, lo sé. Y era el destino lo que me había llevado allí en aquel preciso momento, me había hecho apagar las luces y me había situado en el lugar adecuado para sorprenderle volviendo al hotel.

Me quedé en el coche, con el cuello de la chaqueta alzado, frotándome los pies para mantenerlos cálidos. A esas horas te quedas como en trance si tienes algo en lo que pensar.

Salió el sol, y el primer coche del parking encendió los motores lanzando nubes de humo blanco en el frío aire. Por fin, conseguí moverme y volví a Osaka sin pararme a dormir por el camino.

Aquel fin de semana, mi marido volvió como de costumbre. Le saludé como si no hubiera pasado nada, y pasamos juntos nuestro acostumbrado fin de semana. No intenté sonsacarle.

Aparté de mi mente el asunto durante dos semanas, y me concentré en la pintura. Si mi marido tenía una amante, debía ser comprensiva y perdonarle. No pude resistir la tentación, y dos semanas después volví a acercarme a Tokyo.

Esta vez, llegué a Yokohama al mediodía, y aparqué el coche en un hotel casi frente al mar, uno que solía tener muchos clientes extranjeros. Alquilé un coche poco sospechoso, porque había decidido, contra todo razonamiento lógico, espiar a mi marido.

Las palabras no bastan para describir la profunda humillación y desesperación que pugnaba por aflorar en mí cuando descubrí el «Diario del cazador» en la guarida de mi marido.

Desearía no haber encontrado la llave en su chaqueta, ni haber hecho una copia, ni haberle seguido allí...

Hubiera sido mucho mejor para mí no saber nada.

No eran las conquistas de mi marido lo que me impedía perdonarle. No me preocupan todas esas víctimas. Pero no podré perdonarle nunca que me apuntara como primera víctima... Y tampoco podré perdonarle el que no tema embarazar a esas otras mujeres.

Así es cómo describía lo que para mí fue una noche maravillosa, la primera vez que hicimos el amor, en las vacaciones de verano.

El coche estaba cargado, pero me gustaba la postura forzada y antinatural que nos obligaba a adquirir para poder hacer el amor. Se había quitado los pantalones y el jersey, una pierna la apoyaba en el respaldo del asiento delantero. Hacía más difícil la penetración, lo cual me proporcionaba mayor placer.

Buenos pechos. Se quitó el jersey y no tuve que preocuparme de quitarle el sujetador. Me bastó con bajarlo (ella misma se lo quitó más tarde), y pude verla perfectamente a la luz de la luna, mientras me la trabajaba. Luego me pidió que la entrara por detrás, cosa que hice. También utilizó la boca.

Había invertido todas las ganancias de mi trabajo temporal en comprar ese viejo Chevrolet, y la experiencia justificaba la inversión.

Era experta en el juego y, definitivamente, no era virgen.

¿Así es cómo vio él nuestro tierno y romántico encuentro? ¿Y qué quería decir con lo de «definitivamente, no era virgen»? Jamás había conocido a otro hombre.

Unas semanas después, me enteré por los periódicos de la muerte de la telefonista, una de las víctimas citadas en el diario.

Fui a ver a su hermana. Tsuneko Obana, en su apartamento de Omori. Quería confirmar mis sospechas sobre la causa real del suicidio.

Creo que fue al ver el lunar que tenía en la nariz cuando me decidí a tramar algo contra mi marido. Ese tipo de defectos suele atraer la atención por mucho que uno lo sienta por quien lo tiene. Se hacía evidente el odio que sentía cada vez que hablaba. Sus grandes ojos me miraban a través de sus párpados hinchados.

—Mi hermana era una chica muy estúpida. Pero el hombre que le hizo eso... él sí que no era estúpido, y no podré perdonarle nunca, nunca, nunca.

Cómo la envidié entonces. Tenía un motivo tan claro para vengarse de mi marido. Deseé estar en su lugar para poder saborear la dulzura de la venganza.

Tenía tarjetas de visita que me permitieron pasar por reportera de una revista feminista. Era una mujer sencilla y vulgar, y me resultó muy fácil engañarla. Le ofrecí dinero para que escribiera un artículo sobre la muerte de su hermana, y le sugerí que las dos juntas podríamos localizar al hombre responsable de su muerte.

—¿De verdad cree que podremos? —me dijo, ansiosa, pues no cabía la menor duda sobre el odio que profesaba a mi marido.

Acabó aceptando mi oferta. Por supuesto, le advertí que no se lo dijera a nadie porque podría causarme problemas en la revista, sobre todo si la competencia descubría lo que maquinábamos y nos robaba el artículo.

Usando el diario de su hermana como guía, le sugerí que se dejara caer por el Bar Boi para localizar al hombre que se había ido con ella. Todo fue como la seda. Casi resultaba demasiado fácil. Confiaba ciegamente en mí, y hacía todo lo que yo le decía. Todo lo que descubría, lo anotaba y me lo mostraba.

Pero yo seguía insatisfecha. De hecho, cuanto más prosperaba nuestro plan, más irritable me volvía. Estaba celosa de aquella mujer. De alguna manera, sus actividades parecían relacionarla con mi marido. Naturalmente, a esas alturas, yo empezaba a no coordinar muy bien. Los celos son algo muy poderoso. Y mi necesidad de sexo es tan fuerte...

De manera que, poco a poco, en mi interior, empecé a desear convertirme en Tsuneko Obana, y compartir así sus ansias de venganza contra mi marido.

Y el semen. Creo que eso fue una buena idea. Podrían objetar que es una evidencia circunstancial, pero mi razonamiento era el siguiente: si, por casualidad, mi marido era capaz de liberarse de la trampa pese a mis esfuerzos, la policía no desviaría su atención hacia mí, ni hacia Tsuneko Obana, porque ¿desde cuándo producen semen las mujeres?

Cuando empecé a recolectar semen de esos hombres, se convirtió en el propósito central de mi vida.

Las mujeres, después de todo, son criaturas que extraen semen de los hombres... y mi marido no me daría ninguno. Así castigaba a mi marido, una especie de justicia poética... Le castigaba por no darme el semen que pertenece a la mujer por derecho.

Pero, ¿castigaba así a mi marido? ¿Lo hacía por eso? Quizá no era más que una excusa para poder recolectar el semen.

Y la sangre. Dejar sangre del grupo sanguíneo de mi marido bajo las uñas de las víctimas. Eso sí que fue ingenioso, ¿verdad?

Bueno, mis necesidades se volvieron cada vez más urgentes, e igualmente aumentaron mis celos de Tsuneko Obana. La había utilizado, era mi marioneta, hacía todo lo que yo quería, pero aun así siguió sin darme placer. La envié al A.M.U. para que descubriera lo del tipo de sangre. La hice llamar al hotel Toyo camuflando la voz. Pobre títere, creía que estaba descubriendo cosas que en realidad yo ya conocía de antemano. Y, si alguna vez alguien quería comprobar algo, buscarían a la mujer del lunar en la nariz.

Pero su utilidad se agotó. Ahora me tocaba tomarme la ley con mis propias manos, y ella era un obstáculo para eso. Sabía demasiado, así que sugerí que se cambiara de apartamento y tomara otro con el nombre de su hermana. Tenía que desaparecer limpiamente, si yo iba a convertirme en Tsuneko Obana. Entonces tendría todos los motivos del mundo para vengarme.

El doctor John Wells habría atribuido mi deseo de venganza contra mi marido a un reprimido deseo sexual, supongo. Esos psiquiatras son de ideas fijas.

Preparé la trampa con el semen que les había robado a aquellos hombres y con la sangre AB Rhesus negativo que le había extraído al vendedor en el hotel, tras dormirle con el cloroformo. También usé cloroformo con mis víctimas para que no me ofrecieran resistencia al estrangularlas.

La mujer de Kinshi-Cho no fue más que el entremés para empezar el proceso de terror que iba a desencadenar sobre mi marido. No hubo necesidad de dejar sangre bajo las uñas.

Para Fusako Aikawa, dormí a mi marido y le saqué la sangre mientras dormía. Me preocupaba aquella sangre porque se coaguló camino de Tokyo, pese a haber metido el tubo de ensayo en hielo. ¿Les engañaría? Tenía que intentarlo.

Cuando me encargué de Fusako Aikawa, apareció mi marido antes de que pudiera escaparme, y me escondí en el armario hasta que se marchó. Estaba aterrorizada. Pero todo salió bien y pude huir rápidamente por si a mi marido se le ocurría llamar a la policía.

En cuanto a Mitsuko Kosigi, la tenía contratada. No le preocupó besar a mi marido en la torre de Tokyo, porque la prudente chica sabía que yo les vigilaba. Tenía que acechar a mi marido, sin dejar que él me viera, para aterrorizarle cada vez más. Me gustaría saber si funcionó. No creo que la chica se acostara con él. No era de ésas. Tenía que morir de todos modos, pobrecilla.

El truco del cuchillo en el guardarropa también fue bueno. Le hizo sangrar, como se pretendía, pese a que había una probabilidad de diez a uno en contra. La verdad es que, cuando vi lo bien que había funcionado, me asusté un poco. ¿No habría otra mano moviendo la mía en mi búsqueda de venganza?

Todo lo hice como si formara parte de una ceremonia que tenía que realizar sin importarme si funcionaba o no. Matar tres o cuatro personas no significaba nada para mí. Mi psicología no conocía límites.

Demasiado para el doctor John Wells y sus cómodas teorías. Podía ir olvidando ya sus estadísticas y sus deseos sexuales reprimidos. ¿Qué sabe la gente como él?

5 de noviembre

Esperé dos horas en el coche frente a los apartamentos Minami de Kunshu-Cho.

Estaba lista a las 3 de la madrugada. Me puse una máscara como las que se llevan cuando se está resfriado, y salí del coche.

Se despertó cuando entré, pero seguía medio dormida. Tenía los ojos hinchados y saliva en la boca.

—Quiero hablar de Sobra —dije y ella giró sobre sí misma, dándome la espada.

Le coloqué el pañuelo empapado de cloroformo en la nariz y apreté fuerte mientras el líquido me resbalaba por las muñecas. Un poco de lucha, y cayó a mis pies.

La desnudé y saqué una jeringa sin aguja. La deslicé entre sus piernas y empecé a inyectar el esperma. Tuve un espasmo.

Un frío de muerte se apoderó de la habitación. Enterré mis uñas en su cuerpo. La habitación olía a flores de almendro.

Le até el cinturón del camisón alrededor del cuello. En algún lugar, mi marido también se inclinaba sobre una víctima.

Al apretar el cinturón tuve otra convulsión. El poder de mis manos... apreté con todas mis fuerzas. Su cara adquirió un color púrpura. Misión cumplida. Perdí la consciencia un momento.

Un día descubrí que mi marido sólo iba de caza los martes y los miércoles.

Después de la primera vez, fue más fácil. Yo, una mujer pasiva que se asustaba con lo más nimio, empecé a acercarme más y más a mis víctimas.

¿Por qué escribo esto? Empecé a hacerlo cuando me enteré de la sentencia de muerte de mi marido.

La estudiante que contraté hizo un buen trabajo. Colocó su lienzo en el museo tal y como le había indicado para atraerle, y funcionó. En la torre de Tokyo fue mi señuelo. Sabía que yo andaba cerca, y no temió besarle. Le invitó a su piso esa noche porque yo dije que no estaría lejos.

Tuvo que morir, la pobre inocente. Por lo menos, mi marido merecía morir por el asesinato de esta mujer inocente, ¿verdad? Así que no importa nada en absoluto si mi otra mitad acaba en el patíbulo en mi lugar.

Hoy ha llamado mi padre para decirme que tienen lista la cama del hospital. Mañana estaré allí. Mañana y mañana y mañana... todas esas mañanas me despertaré en la cama de un hospital. Es mi destino.

Y, quizás, algún día, cuando me haya marchado,

derribarán este estudio. Destriparán sus cimientos y ¿qué encontrarán? Huesos humanos. Nada más, creo. Y desde luego, el lunar habrá desaparecido con la descomposición. No quedará nada que identifique a Tsuneko Obana. A no ser que la ciencia haya progresado y puedan detectar un indicio del lunar. Tsuneko Obana. Tuve que hacerlo. Tenía que convertirme en ella.

Pero todo esto pasará en el futuro.

Hoy sé que me alejo cada vez más y más de mí misma, arrastrada por esos poderes invisibles que parecen controlarme cada vez más. Esos ruidos de mi cabeza... ¡Cómo me gustaría que desaparecieran! Quizá puedan hacer algo en el hospital. Si viene a interrogarme algún policía, sé lo que no debo contestar.

Hablando del futuro, ¿qué será lo que me depara? Hoy soy toda piel y huesos, pero dentro de diez o veinte años, las cosas serán distintas. Seré una gorda ninfómana tumbada en la cama de un hospital, comiendo chocolates o mis propios excrementos. ¿Qué más da? En el patio de recreo del pabellón psiquiátrico me conocerán como la que anuda sus camisones a la cabecera de la cama y tira con fuerza.

Ya son las 4 de la madrugada. Es hora de convertirme en Tsuneko Obana, otra vez.

Cojo el pequeño estuche de maquillaje y empiezo a arreglarme los ojos. Con qué pericia lo hago. ¡Nadie podría reconocerme ahora! Con cuidado, pinto la base de la nariz de negro.

Dentro de mi cabeza, tan persistente como un Sutra, oigo el monólogo de Tsuneko Obana:

«Tonta, tonta niñita. No digas que lloraste en sus brazos, no me digas que su cuerpo te aplastaba...»

Shinji cerró el diario y miró al viejo que fumaba impasible un cigarro.

—Llevará tiempo, claro —dijo Hatanaka—, pero creo que bastará.

—¿Va a usarlo? ¿Y su promesa?

—Me considero libre de ella. El ama de llaves se ahorcó después de que nos marcháramos. No me extrañó que lo hiciera. ¿Recuerda cuando dijo «Mi deber está cumplido?». Bueno, con ese aspecto feudal que tenía, sólo podía referirse a una cosa. Una pena que no queden hoy en día más japoneses así.

—¿Y no intentó detenerla?

—Es usted muy joven. Son ustedes modernos. Me pregunto si volverá a haber japoneses de verdad. No. Frustrar la lealtad de un sirviente es un pecado por el que se debería arder en el infierno. De todos modos, me dejó una nota: «Todo está ahora en sus manos.» Así que creo que soy libre para hacer lo que quiera.

»La mujer sigue en una clínica mental. *Non compos mentis*. Y este diario lo prueba. Jamás conseguirán que vaya a declarar. Y, si lo intentan, me encantará poder defenderla. No parecen muy seguros de que recobre alguna vez una buena condición física.

El viejo expulsó un anillo de humo y Shinji se sintió repentinamente reconciliado con las frustrantes rutinas de la ley. Trabajar para este hombre, y algún día, quizá, llegar a ser como él...

A finales de octubre liberaron a Ichiro Honda. Miró con aprecio los colores del otoño y respiró profundamente el frío aire que chocaba con las grises piedras del edificio del juzgado que dejaba atrás.

Masako Togawa, escritora y cantante, nació en Tokyo en 1933. Muerto su padre en la guerra, creció en un ambiente modesto. Estudió en la escuela superior y trabajó como administrativa durante cinco años.

Debutó profesionalmente, como cantante, en el Gin-Pari, un conocido night-club, a la edad de veintitrés años. A los veinticuatro, publicó Oi Naru Genei (La Llave Maestra), *su primera obra, que fue galardonada con el prestigioso Premio Edogawa Ranpo, en 1962.*

Su segunda novela, Ryiojin Nikki (*Lady Killer*), *fue publicada en el año siguiente. Se convirtió en un best-seller, fue adaptada a la televisión y fue candidata al Premio Naoki.*